GEORGINA HARDING

/

# DE EENZAAMHEID
# VAN THOMAS CAVE

**Vertaald door
Lilian Schreuder**

Anthos|Amsterdam

ISBN 978 90 414 1193 8
© 2007 Georgina Harding
© 2007 Nederlandse vertaling Ambo|Anthos *uitgevers*,
Amsterdam en Lilian Schreuder
Oorspronkelijke titel *The Solitude of Thomas Cave*
Oorspronkelijke uitgever Bloomsbury
Omslagontwerp Roald Triebels, Amsterdam
Omslagillustratie William Webb
Foto auteur Mark Pringle

Verspreiding voor België:
Veen Bosch & Keuning uitgevers n.v., Wommelgem

Voor Nell en Tom

# HET VERHAAL

# VAN THOMAS GOODLARD

*Verteld aan de kust van Suffolk,*
*op een avond in juni 1640*

# I

Ik zal nooit de aanblik van hem vergeten toen we vertrokken. Dat beeld is me altijd bijgebleven; zijn gestalte onbeweeglijk en kaarsrecht op het brede strand, het land kolossaal en kaal om hem heen, de besneeuwde helling van de vallei achter hem, de bergen aan weerskanten, identieke pieken die ogenschijnlijk even hoog waren, steil en glad oprijzend, met grijze strepen, alsof het gesteente door een vreemde ommekeer was veranderd in as die vanuit de hemel op de sneeuw was neergedaald; de zee loodgrijs, met die traagheid in zijn beweging die ontstaat als het water zwaar is door het begin van ijs. Op heel Gods aarde, van de punt van Afrika tot aan West-Indië of de Grote Oceaan, zal een mens maar zelden iets zien waar zo'n eenzaamheid van uitgaat.

Normaal zou er worden gepraat in de sloep bij het terugroeien naar het schip, dat verderop voor anker lag. Zo ging het meestal, in die brede en ondiepe baai, de sloep vol mannen, de laatsten van ons, en de laatste spullen die we mee terug moesten nemen. De Heartsease was al zwaar beladen voor de terugreis, met zijn gewicht aan baleinen, walrustanden en honderdvijftig vaten walvisolie, na een seizoen dat traag op gang was gekomen, maar uiteindelijk toch veel had opgebracht. Op andere momenten zou iedereen luidruchtig door elkaar hebben zitten praten, zoals je wel op het vasteland hoort in een herberg na een marktdag, zelfs nog luidruchtiger; de zware stemmen van mannen die hard en gevaarlijk werk achter de rug hebben, goed geld verdiend hebben, en nu naar huis gaan. Je weet hoe het er op zulke momenten aan toe gaat: de grappen vliegen over en weer en de lange reis zuidwaarts lijkt niet meer dan een korte tocht voor de wind.

Die dag was er nauwelijks een geluid te horen. Zelfs William Sherwyn, de timmerman, zei geen woord, en dat was een echte prater, hoewel ik één keer zag dat zijn lippen begonnen te bewegen, om daarna meteen weer op elkaar geklemd te worden. Juan of John Ezkarra, een Bask, probeerde een van de wijsjes vol heimwee uit zijn streek te fluiten, maar de noten kwamen er zwak en droevig uit in die koude lucht, en na een paar frasen staakte hij zijn poging. Vanaf dat moment was er alleen het geplons van de roeiriemen in het trage water. Dat en, toen we de Heartsease naderden, het gekraak van het schip zelf terwijl het bewoog, het gezwiep van de touwen als ze door de wind werden gegrepen, het heen en weer geloop van de matrozen die begonnen waren met het optuigen en die aan dek bezig waren. Onze sloep stootte tegen de zijkant van het schip. We haalden de riemen in, legden de boot vast en een voor een, traag als zeehonden die zich log voortbewegen op het land, klommen we aan boord. Elke man trok daarbij zijn voeten op alsof ze loodzwaar waren, en keek om als hij het dek had bereikt, waar kapitein Marmaduke stond. Hij volgde dan de blik van de kapitein en draaide zich om, om door samengeknepen ogen naar het land te turen, waar een roerloze gestalte aan de oever van de baai stond. Iedereen die onwetend omtrent de ware toedracht had staan toekijken, zou aan de hand van onze gezichten hebben gezegd dat wij degenen waren die ergens toe veroordeeld waren, dat het een van ons was, niet hij daar op het strand, die op deze bleke dag het angstaanjagende vooruitzicht van de komende duisternis had en het besef dat hij misschien nooit meer de groene contouren van zijn eigen kust zou zien.

En al die tijd had ik de indruk dat hij daar alleen maar stond te kijken. Ik klom in de mast toen we gingen varen, terwijl de lichte noordoostelijke wind aantrok en ons langzaam meevoerde. Ik zag hem daar doodstil staan, als een paal of een boom in een land waar geen bomen groeien, en ik keek hoe hij kleiner werd en vervaagde. Het land om hem heen zag er zo enorm, koud en ijzig uit, dat je nooit zou kunnen geloven dat een mens daar zou kunnen rondlopen.

Ik dacht niet dat ik Thomas Cave ooit nog levend terug zou zien.

We laveerden door het inkomende ijs en voeren langzaam de grote fjord af. Een oplichtende streep als paarlemoer aan de hemel liet zien waar de uitgestrektheid van de Groenlandse wateren zich voor ons opende. Bij de laatste aanblik van de baai liet Marmaduke een kanon afvuren. Het lawaai van het schot was zo hevig in de leegte dat ik er zeker van was dat Cave ervan was geschrokken, evenals de laatste vogels op de rotsen die omlaag doken, om als dansende derwisjen om hem heen te wentelen en te schreeuwen.

Carnock zei alleen het allernoodzakelijkste. De hele dag kwam er geen menselijk woord uit hem, net zo min als de dagen erna. Hij wist dat er veel ogen op hem waren gericht; doordat hij die vraag had gesteld, hem had uitgedaagd, had hij de man gedreven tot wat hij had gedaan. Carnock was niet iemand die wist wanneer hij op moest houden.

Alleen Ezkarra de Bask sprak rechtstreeks tegen hem. Het was een donkere man met donkere kringen onder zijn ogen, alsof hij ze had overbelast, een harpoenier met meer kennis van walvissen dan wie dan ook aan boord. 'Hij doet dit niet voor jou, ook al wekt hij die indruk.'

'Hoe kun je dat nu zeggen?' zegt Carnock, nors omdat hij zich bewust was van zijn verantwoordelijkheid. 'Je was erbij. Je hebt het zelf gehoord.'

'Ik hoor zijn woorden, maar ik zit een eind bij jullie vandaan. Maar zijn gezicht kan ik zien. Hij had het verlangen om aan jullie allemaal te ontkomen. Ik zie dat. Ik zie dat hij is als een walvis die moet vluchten naar het ijs.'

'Spreek niet in raadsels, man. Wat bedoel je?'

'Ik bedoel dat hij zich gaat verbergen in het ijs. Zijn instinct zegt hem dat het ijs de veiligste plek ter wereld is als hij aan mensen wil ontsnappen, dat hij in het ijs buiten bereik is.'

'Het was opschepperij, hij had te veel gedronken, dat is alles. Hij had een vreselijk humeur die avond, dat hebben jullie allemaal meegemaakt. En hij was te trots om terug te komen op zijn woord toen hij het eenmaal had gezegd. Hij is nooit een man van veel woorden geweest, die Cave, maar allemachtig, als hij iets zegt, dan houdt hij zich er ook aan. Hij is een koppige trotse man.'

'Dat zou kunnen, mijnheer Carnock.' Ezkarra's stem was glad als olie op water. 'Maar het is ook mogelijk dat hij het toch doet. Ik denk dat hij alleen een aanleiding zoekt.'

Die witte nachten maken mensen anders. Ik wist dat intussen. Ik had veel geleerd in die eerste noordelijke zomer. Je wordt duizelig van het licht, alsof je constant een beetje dronken bent. Cave werd er roekeloos van. Ongetwijfeld was hij niet de eerste en hij zal ook wel niet de laatste zijn. Milde, godvrezende mannen werden daar roekeloos, mannen die niet in hun eigen wereld verkeerden, alsof de Heer nooit had gewild dat ze daarheen zouden gaan, ver weg van hun eigen land, van alles waarmee ze in verhouding waren, van alles wat is gezegend door God en menselijke afmetingen heeft. De dag vloeit daar over in de nacht, het werk van de mens is er hels, en de dieren zijn zo monsterachtig groot dat het doelwit van de jacht groter is dan een levend wezen dient te zijn.

Er waren al een paar dagen geen walvissen. Ik herinner me de hele reeks gebeurtenissen nog goed. We hadden geen walvis meer gezien of gehoord sinds de mist ruim een week ervoor was komen opzetten, voor de zuidenwind uit, om in de baai te blijven hangen en daar dichter te worden. Al dagen hadden we niets anders gezien dan de zich flauw aftekenende contouren van de traankokerij, de tenten en de vreemde grijze vormen van de takels, ketels en andere hulpmiddelen waarmee de traan werd gewonnen, en te midden daarvan de opdoemende gestalten van andere mannen, die we soms aanzagen voor beren, en de vormen van rotsen die we aanzagen voor mannen. Niets van wat ik ooit heb gezien is zo desoriënterend als die zomermist, desoriënterend zowel in mentale als in visuele zin, aangezien je geen van de vierentwintig uren kunt onderscheiden. Je kunt geen tijd vaststellen aan de hand van de stand van de zon of een planeet of welke verandering van het licht ook. In dergelijke omstandigheden is het niet ongewoon dat een man zich opricht van het werk waarin hij al een paar monotone uren is verdiept, verward om zich heen begint te kijken en aan zijn metgezellen vraagt of het nu dag of nacht is, en ze hem dat niet kunnen vertellen, waarop het een onderwerp van discussie wordt.

Na dat soort dagen is de schoonheid van een weersverandering nauwelijks te beschrijven. Een verplaatsing van vocht door een beweging van de lucht die het uiteen liet vallen in afzonderlijke ondoorzichtige en doorschijnende slierten. Een briesje in onze nek dat ons deed rillen. We keken omhoog naar de vergeten hemel, waar de mist niet meer dan een dunne sluier was die ineens werd weggetrokken, en de bergen die waren opgehouden voor ons te bestaan, scherp als messen werden onthuld, met die bijzondere blauwe uitgestrektheid erboven. Daarna keken we om ons heen en zagen de kust die onze ogen blindelings hadden afgespeurd, met daarop de wijdverspreide lelijkheid van onze nederzetting, de machinerie, de tenten, de vaten met traan. In het kleurloze en vettige water van de ondiepten lagen hier en daar de rottende restanten van al die grote beesten die we hadden gevangen sinds het begin van het seizoen, in die mistige dagen ontdaan van wat er nog over was van hun vlees door een spookachtige witte zwerm zeevogels. De frisse bries hield aan en had binnen een dag al het ijs uit de baai vóór ons verdreven, het water nu open en donker als een uitnodigend meer voor plezierboten. En er was geen walvis te zien.

Meteen gingen de harpoeniers eropuit, met een ploeg van een man of zes in de sloepen, om te kijken of er nog wat te jagen viel langs de kust. We hadden al zo lang rondgehangen dat we allemaal ongeduldig verlangden naar actie. Marmaduke zelf nam een paar mannen mee naar het binnenland. Hij zei dat hij op verkenning wilde en zou proberen om een van de pieken achter de baai te beklimmen, om te kijken of er van daaraf wat te zien viel; een teken van walvissen, van ijs in de verte, van andere schepen die misschien de prooi hadden ontdekt. Als God het wilde zou hij daarboven, na een gemakkelijke beklimming en met helder zicht, ver over de fjord kunnen kijken tot aan de open zee, met uitzicht langs de kust in beide richtingen en over een binnenland waar, voor zover wij wisten, nog nooit iemand was doorgedrongen.

De rest van de bemanning moest daar blijven onder het gezag van stuurman Carnock. Ik had daar niet veel zin in, maar als jongste bemanningslid had ik weinig keus. Ik herinner me nog dat ik de mannen benijdde die met de kapitein vertrokken, jaloers omdat ze op avontuur gingen en ook – zoals ik nu denk maar het toen niet zo zou hebben verwoord – omdat ze voor de duur van hun expeditie konden ontsnappen aan de rusteloze zee, vaste grond onder hun voeten zouden voelen en het kleine beetje groen zouden zien dat daar misschien was. Net op dat moment kwam Thomas Cave langs. Hij kwam bij me staan en zag wat er in me omging, hoewel wij tweeën daarvóór nauwelijks een paar woorden hadden gewisseld.

'Jij krijgt je kans nog wel,' zei hij.

Ik antwoordde, terwijl ik keek hoe ze de rotsachtige kust verlieten en door de vallei liepen: 'Er is daar gras, ziet u, en bloemen, op de helling die op de zonkant ligt.'

'Inderdaad, jongen, het is daar mooi als in een weide, niet? Wie zou dat ooit hebben gedacht? En weet je, als je goed kijkt, zie je daar zelfs kleine verweerde boompjes die niet hoger zijn dan een centimeter of vijf.'

'Ze zullen thuis nu wel het hooi hebben binnengehaald,' zei ik, 'droog en in schelven.'

Daarop vroeg hij me waar ik vandaan kwam en ik vertelde het hem. Uit Suffolk, landinwaarts, uit het dal van de Alde. En ik vertelde hem zelfs hoe mijn dorp heette, maar zei het woord alleen voor mezelf in een moment van heimwee. Ik sprak het hardop uit om de vertrouwde klank ervan te horen, zonder het flauwste vermoeden te hebben dat hij het ook kende.

Daarop keek hij me recht aan, en voor het eerst voelde ik de helderheid van die lichtblauwe ogen van hem, die de kleur hadden van een mooie decemberlucht. Hij keek naar me, en een trage glimlach verscheen op zijn gezicht, waardoor hij ineens een ander mens leek. Ik had hem een strenge man gevonden die altijd op zijn hoede was; ik had niet verwacht een dergelijke zachtheid in hem te zien.

'Nee maar, dat is niet meer dan een paar kilometer bij mijn eigen dorp vandaan!'

En ik vertelde hoe ik van daar naar de zee was gereisd. Twee dagen had het gekost en het was de enige reis die ik ooit had gemaakt, en hij knikte bij de namen van de plaatsen waar ik doorheen was gekomen, omdat hij die ook kende, en al die tijd glimlachte hij, zo breed dat het me verwarmde, en hij legde een hand op mijn schouder, en ook dat was een warm gebaar.

'Een knaap uit Suffolk,' zei hij. 'Ik dacht al zoiets. Ik meende het een tijdje geleden al aan je accent te horen, maar toch twijfelde ik, omdat ik er al zo lang weg ben. Ik dacht al dat ik iets in jou herkende en nu weet ik wat dat was, en het is niet alleen onze voornaam die we gemeen hebben, hoe algemeen die naam ook is. Wat heeft jou hier gebracht, Thomas, wat heeft jou naar dit godverlaten gebied gebracht?'

'Het schip van mijn neef bracht me naar Hull, en daar vond ik een plek op dit schip. Om de walvisvangst te proberen.'

'Het schip van je neef?'

'Ik was naar mijn neef in Aldborrow gestuurd, die op een schip werkte. We waren thuis met te velen om daar te kunnen blijven, ziet u.'

'En wilde je dat?'

'Ja en nee, mijnheer. Ik bedoel, ik mis mijn familie wel en zo, maar het is toch ook een wonder om hier te zijn, nietwaar?'

'Wat is een wonder?'

'Nou, dit gebied hier. Het avontuur. Het verschil met thuis. Het is hier allemaal zo anders.'

'Ach, Thomas. Tom, ze noemen je zeker Tom? Dus jij houdt wel van avontuur? En ongetwijfeld heb je ook gehoord van Eldorado?'

'Wie is Eldorado?'

Thomas Cave lachte. Hij lachte alsof hij dat in jaren niet had gedaan. Hij was een lange, uitgemergelde man, niet langer jong, en toen hij zo lachte, sloeg hij dubbel en ging door tot hij moest hoesten, waarbij hij een hand op mijn schouder legde om weer overeind te kunnen komen, en ik zag dat zijn ogen vol tranen stonden.

'Het is een plaats, Tom, en niemand weet waar die ligt. En een man zou die boven al het andere kunnen stellen en ernaar op zoek gaan, om in plaats daarvan in een land vol ijs terecht te komen.'

En opnieuw lachte hij, maar nu hoorde ik er een hardheid in die maakte dat ik me slecht op mijn gemak voelde en verlegen werd, omdat ik niet wist wat voor reden hij had om zo hard te lachen.

Ik wilde op dat moment niet zeggen dat ik nog steeds niet begreep waar hij het over had. Maar toen we in de daaropvolgende weken vrienden werden, begon hij er telkens opnieuw over, alsof het vaak in zijn gedachten was. Een bepaalde betekenis of weerspiegeling van het woord die een gloed van geel zonlicht op het ijs rondom ons wierp: dat land vol goud waar de Spanjaarden een naam voor hebben, maar dat ze nooit hebben gevonden, waar Raleigh naar op zoek was geweest en, ook al wisten we dat toen niet, er opnieuw naar op zoek was precies in de tijd dat wij daar in de kou aan het werk waren. Uiteindelijk zou hij door die zoektocht eerst zijn zoon verliezen, en later zou het hem zijn eigen leven kosten. Het werd me duidelijk dat Eldorado ook voor Thomas Cave een droom was geweest, en dat de ironie in zijn lach die me een onaangenaam gevoel gaf niets anders was dan de ironie waarmee hij terugkeek op zijn eigen jonge jaren, zijn verlangen naar avontuur en zijn leven als zeeman.

Maar ik ga te snel. Dit kwam pas later, toen ik hem beter leerde kennen en er vriendschap tussen ons ontstond. Ik wilde het eigenlijk alleen over deze ene dag hebben, deze ene dag en nacht toen de weddenschap werd gesloten.

We stonden te praten en te kijken totdat de verkenners uit het zicht waren, en toen hoorden we het geroep van de anderen die op het strand waren achtergebleven. Ze hadden op de punt van de rotsen een groep zeehonden ontdekt en wilden daarop gaan jagen; een laatste kans, want het was al laat in het seizoen en de grote meerderheid had inmiddels hun jongen grootgebracht en was vertrokken. Dus wij voegden ons bij hen en gingen snel op pad in de laatste sloep die voor ons was achtergelaten – als de harpoeniers dan geen walvissen konden vinden, dachten we, dan bracht Gods overvloed ons in elk geval een kleine kans op een andere vangst. Toch was het nauwelijks een kudde te noemen, zo'n klein aantal zeehonden dat het niet eens een vat traan zou opbrengen. We stelden ons ermee tevreden er een te doden voor het avondeten en toen gingen we ons nog even vermaken. Er waren een paar jonge zeehondjes in de kudde, en drie van de mannen grepen er een beet en vilden het levend. Daarna gooiden ze het dier voor de grap terug in het water, waar het kronkelend en draaiend rondzwom in zijn rode pakje, terwijl zijn soortgenoten er blaffend en nerveus omheen kwamen zwemmen. Als je het niet zelf hebt gezien heb je geen idee hoe sterk een zeehond kan zijn, met zulke krachtige spieren en zo taai dat het tot het allerlaatst blijft zwemmen. We keken toe tot het rumoer was verstomd, gingen toen terug en maakten een vuur om erop te koken, waar we bleven wachten op onze maten die nog moesten terugkeren van hun verkenningstocht.

Ik denk dat we ons allemaal beter voelden dankzij die jacht, onze nerveuze geest ontspannen, bevrijd nadat we opgesloten hadden gezeten in de mist, wij allemaal, behalve Cave, die om een reden die ik toen nog niet kende — of het nu kwam doordat iemand iets verkeerds tegen hem had gezegd of dat er iets anders was gebeurd — de rest van de avond een diepe frons op zijn gezicht had, een zwartgalligheid, zo weet ik nu, die diep in hem broeide en die er later bij het vuur uit zou komen.

Het moet rond middernacht zijn geweest, hoewel de zon nog zijn lage licht over de bergen en de zee wierp. We hadden een groot vuur gemaakt op het strand en zaten er dicht omheen omdat de lucht zo koud was. We hadden van het verse vlees gegeten, dat vet was maar wel lekker, waarbij vooral de lever een goede smaak had, en om de omslag in het weer te vieren en de hoop op een navenante kentering van het geluk van het seizoen hadden we een nieuw vaatje brandewijn opengemaakt. Dat maakte de tongen van de mannen los, zodat, als we in een taveerne zouden zijn geweest, omgeven door muren en plafonds, je jezelf niet had kunnen horen denken door het lawaai.

Vooral William Sherwyn stroomde over van verhalen. Hij was een wonderlijke snuiter, die Sherwyn, en het was vreemd om hem op zee aan te treffen. Hij had net zo gemakkelijk ergens anders zijn beroep kunnen uitoefenen; in een werkplaats met een straat ervoor, waar allerlei soorten mensen en honden en jongens in en uit zouden lopen over het zaagsel op de grond. Hij had oog voor vreemde en wonderbaarlijke dingen; ik denk dat dit de reden was waarom hij telkens vertrok. Hij pakte zijn kist met gereedschap, verliet onverschillig welke stad en monsterde aan om de wereld te zien. Hij had de gave om overal waar hij kwam buitenissige dingen op te merken. Zelfs als wij precies dezelfde plaats bezochten als waar hij was geweest, dan nog zagen wij daar alleen de gewone en bekende dingen. Ik herinner me dat hij in Bergen het werk had gezien van een meesterklokkenmaker uit Italië; een klok in de vorm van een prachtig kasteel met achttien bellen die het uur aangaven. Na het eerste geklingel gingen er twee deurtjes open en kwamen er twee wachtengelen tevoorschijn om op hun hemelse bazuinen te blazen, en door de opening kwam een gestalte naar buiten die de levende Christus leek te zijn, en Hij strekte Zijn handen en nodigde alle toeschouwers uit om tot Hem te komen, waarbij de gedaante van Zijn mens-zijn zo overtuigend was dat er vrouwen in de menigte begonnen te huilen van vreugde bij het wonder van Zijn komst. Er werd daarover onder ons geredetwist. Het was maar een klok, zei iemand, een mechanisch wonder. Een stukje illusie, zei een ander, die Italianen waren vermaard om hun talent voor illusies. Allemaal zwaar overdreven, zei Carnock, die vrouwen waren óf dwaas óf dronken dat ze zich zo hadden laten gaan. Als hij erbij was geweest, dan had hij meteen doorgehad hoe het precies werkte.

Hij kon niet veel van andere mensen verdragen, die mijnheer Carnock. William was een ongevaarlijke kerel, eigenlijk verlegen denk ik, iemand die praatte om een stilte te vullen of om anderen te vermaken, en nooit met de bedoeling om iemand van zijn stuk te brengen. Toch maakte ik meerdere malen mee hoe Carnock met hem in discussie ging over het waarheidsgehalte van zijn verhalen. Ik zag daar de noodzaak niet van in, net zo min als wie dan ook van ons. Ik geloofde dat de dingen die hij ons vertelde grotendeels waar waren en dat hij inderdaad een uitzonderlijk oog en oor had voor wonderbaarlijke dingen, al vermoedde ik af en toe ook wel dat zijn verhalen op z'n minst nog iets wonderbaarlijker werden tijdens het vertellen.

Het was een nieuw verhaal van William dat de aanleiding vormde voor de weddenschap. Het gebeurde allemaal terloops, zoals dat wel vaker gaat met dat soort dingen. William noch iemand anders van ons had de gevolgen kunnen voorspellen van wat hij zou gaan zeggen: dat hij in Amsterdam een Hollander had ontmoet die beweerde een heel jaar op Jan Mayen te hebben gewoond. Dat was een eiland dat vaak werd aangedaan door Hollandse walvisvaarders en op enige afstand ten zuiden van het gebied lag waar wij ons bevonden. Alleen was dit nu eens een verhaal dat William naar mijn idee zonder franje vertelde. Ik denk dat hij geen opsmuk nodig had, omdat de simpele feiten op zich al vreemd genoeg waren om te kunnen bevatten.

Het bleek dat de bemanning van de walvissloep van die Hollander onbedoeld was achtergelaten aan het einde van een laat seizoen, niet in staat om weer aan boord van het schip te komen toen het ontsnapte aan het ijs waardoor het snel werd ingesloten. Ze hadden geen andere keus dan de boot ondersteboven te keren om er een huis van te maken en te proberen te overleven tijdens de donkere wintermaanden. Ze wisten op de een of andere manier een stookplaats te maken en joegen op het weinige wild dat er was. Maar een voor een bezweken ze aan scheurbuik, en het lichaam van ieder van hen werd achtereenvolgens buiten op de bevroren grond gelegd, waar het werd bedekt met stenen, wat in die streken de gebruikelijke manier was om een zeeman te begraven, of weggestopt in een bergspleet waar naar voedsel zoekende beren niet konden komen, totdat er nog maar één man over was, een uitzonderlijk taaie en vastberaden kerel die zich uit alle macht verzette tegen scheurbuik door in die lange lente eindeloos op zoek te gaan naar vers voedsel, beren en ander wild en de bittere maar levensreddende grassen die uiteindelijk vanonder de sneeuw tevoorschijn kwamen. Toen hij werd gevonden door een terugkerende walvisvaarder, was hij nog maar nauwelijks in leven, nauwelijks in staat om het lichaam van de laatste van zijn maten onder de boot uit te slepen en het stevig in zeildoek gewikkeld op het strand te leggen. En aan het einde van dat seizoen brachten ze hem naar huis. Daarna wilde hij niet meer terug naar zee, maar leefde haveloos in een gekapseisde boot bij de haven van Amsterdam, alleen niet meer onder zulke koude omstandigheden. Hij kreeg er hulp van mensen aan wie hij zijn verhaal vertelde, zodat hij nooit meer zelf op zoek hoefde naar een homp brood of iets te drinken.

Carnock lachte op dat moment, een enkele, harde lach. 'En wat heb je hem gegeven voor zijn mooie verhaal?'

William keek om zich heen, verrast over de onderbreking. 'Wat ik kon missen. Het was niet zo'n onwaarschijnlijk verhaal dat ik me niet kon voorstellen dat zoiets mij nooit zou overkomen, of iemand anders hier. Natuurlijk heb ik hem wat gegeven.'

'Ik durf te wedden dat je dat ook inderdaad deed, William, maar elke gulden werd je uit je zak gepraat. Als er iemand had kunnen weten dat het bedriegerij was, dan was jij dat toch wel,' zei Carnock op zijn minachtende manier die ervoor kon zorgen dat zelfs de geringste kritiek die hij uitte, overkwam als een belediging. Hoe hij het zo lang had gered als stuurman, met die agressieve manier van doen van hem en de macht die hij over ons had, verbaasde me soms; dat hij niet op een gegeven moment in elkaar geslagen in een steegje in de buurt van een haven was aangetroffen, of simpelweg op een nacht overboord was gegooid.

'Wat bedoel je daarmee?' reageerde William fel, maar Carnock begreep niet dat hij verder beter zijn mond kon houden.

'Ik had gedacht, William Sherwyn, dat jij als geen ander toch moet weten dat er tijdens het vertellen van verhalen veel wordt bij gefantaseerd.'

Toen hij dat zei, werd William kwaad. Net als zoveel verhalenvertellers was hij een nerveus man, tenger en snel, precies met zijn handen en zijn gereedschap, maar met een opvliegend karakter. Ik zou niet veel hebben gegeven voor zijn kansen tegen een man die zo fors was als Carnock, als het tot een gevecht was gekomen. Maar zover kwam het niet, want Cave kwam tussenbeide, en hij deed dat met een rustige autoriteit die alle aandacht op hem vestigde, waarop William klein en al snel vergeten naar de achtergrond verdween.

'Ik heb die man zelf ook ontmoet, heb hem horen vertellen. Ik ben overtuigd van de waarheid van zijn verhaal.' Caves stem kwam krachtig over, des te voller omdat hij die maar spaarzaam gebruikte.

Carnock draaide zich om en zag Caves gezicht aan de andere kant van het vuur. 'Wat beweer je nou, man? Jij hebt zelf ervaring met deze streken. Je weet net zo goed als ik dat geen man van vlees en bloed zo ver naar het noorden een winter kan overleven.'

'En toch is het mijn overtuiging dat hij de waarheid sprak. Ik heb de bijzonderheden van zijn verhaal gehoord en de blik in zijn ogen gezien.'

'Dan is het een goede toneelspeler en een nog betere leugenaar dan onze vriend William hier. Omdat iedere dwaas weet dat wat hij zegt onmogelijk is.'

'Helemaal niet,' reageerde Cave kalm op het gebral van Carnock. Door de kalmte in zijn stem won die aan kracht, en ik werd erdoor geboeid en vergat al het andere, terwijl hij verderging met een stuk levensbeschouwing in dat sterke licht van middernacht. Ik herinner me de spookachtigheid van dat licht en de bedaardheid van zijn stem: 'Een man weet nooit wat wel of niet mogelijk is totdat hij het heeft geprobeerd.'

'Sommige dingen kan een mens maar beter niet proberen.'

'Mensen die zo denken, verwerven nooit wijsheid. Ze hebben overtuigingen, vooroordelen, bijgeloof; ze denken dan misschien dat ze zekerheid hebben, maar ze hebben geen wijsheid. Je bent pas wijs als je iets zelf probeert te ontdekken.'

Carnock kon het allemaal niet meer volgen. 'Je kunt zeggen wat je wilt, maar een man die hier een winter wordt achtergelaten, is gek rond Kerstmis en dood rond Nieuwjaar. Gek van de kou en de duisternis en de lichten aan de hemel, en dood door scheurbuik en verhongering.'

'Niet als hij sterk en onbevreesd is. Als hij zich bevrijdt van bijgeloof. Als hij een praktisch mens is, als hij gezond verstand en zelfdiscipline heeft, en met Gods hulp en een beetje geluk.' Er was iets verhevens aan de manier waarop Cave sprak, alsof hij iets wist wat wij niet wisten, als de priester op de preekstoel met het onwetende volk onder hem. Carnock hield er niet van om op die manier te worden toegesproken.

'In godsnaam, doe het dan zelf.'

'Dat zou ik kunnen doen.'

'Dat zou je kunnen doen?' De minachting in zijn woorden klonk hard in de lucht. 'Horen jullie dat, mannen?

Onze mijnheer Cave zegt dat hij hier misschien wel een winter zou kunnen doorbrengen.'

Daarop zwegen wij allemaal. Langzaam werden de gesprekken en bewegingen gestaakt, terwijl iedereen nu zijn aandacht richtte op de discussie. In de stilte verroerde niemand zich, en je kon het vuur voor ons horen branden. De vlammen waren helder, en de rook bevatte de visachtige lucht van zeehondenspek. Zelfs op een zomeravond wisten we allemaal van de angst die we hadden voor dit land. Zelfs op de helderste morgen, als de zonnestralen warm door de ijle lucht schenen en onze gezichten verbrandden en we in ons onderhemd werkten, bleven we het gevoel houden dat dit niet een land was dat God voor mensen had geschapen, dat het volgens Zijn plan niet de bedoeling was dat mensen voet op deze grond zouden zetten of deze zeeën zouden bevaren, dat we al te overmoedig waren om hierheen te komen en te jagen zoals wij dat deden. In deze streek hadden de dagen zelf niet eens de vorm die God eraan had gegeven in de bewoonbare streken, en evenmin de seizoenen, omdat het mogelijk was dat je zelfs half augustus extreme kou en sneeuwstormen meemaakte. Aan de hemel zagen we hier vreemde verschijnselen en licht dat niet voor onze ogen bestemd was, en in deze zee zagen we ongelooflijke dieren die iets weg hadden van mythische wezens. Door dat besef waren we altijd een beetje bevreesd, zelfs als de zon scheen, en elke dag die we daar in het Noorden doorbrachten, leek een soort overtreding. Je kon het lot niet erger tarten dan door te opperen daar een heel jaar te blijven.

Alleen Thomas Cave toonde geen ontzag voor het

gebied. Zijn stem ging verder tijdens onze stilte, rustig alsof hij niet daar sprak, maar aan een milde Engelse kust.

'Ja, ik zeg inderdaad dat ik hier, met Gods hulp, een winter zou kunnen doorbrengen.' En hij keek om zich heen, naar de bleke nacht, de bergen, de leigrijze zee van de baai waar de Heartsease voor anker lag.

'Je zult sterven als een dwaas.'

'Beter dan te leven als een dwaas,' zei Cave, en ik geloof dat het venijn in zijn woorden net zo goed voor hemzelf was bedoeld als voor Carnock, maar Carnock zag dat natuurlijk niet zo.

'Doe het dan, moge de duivel je meenemen. Wat zeggen jullie, mannen? We laten scheepsvoorraden bij hem achter, een musket, kruit, alles wat hij nodig denkt te hebben. En als we volgend jaar terugkomen, zullen we wel zien of hij nog warm is.'

En zo werd de weddenschap aangegaan. Hij betrok ons erbij, Carnock, want we stonden allemaal aan zijn kant en waren tegen Cave voor wat betreft die ene aangelegenheid waar we het over eens waren: dat geen sterveling een winter daar kon overleven. Hij keek ons stuk voor stuk aan, en zei: 'Jullie zouden er zeker wel om durven wedden dat het niet mogelijk is?' En natuurlijk vonden we dat, maar het was niet onze bedoeling dat iemand die weddenschap zou aangaan. Het was een theoretische discussie, gevoed door de drank en de lichtheid van de nacht, niets meer dan dat. En toch, toen de zon bloedrood laag boven de horizon stond en het vuur onze gezichten verwarmde, begon het realiteit te worden. Wij met zijn tienen, tien pond de man, honderd pond bij elkaar.

De dag voordat we gingen varen was een van die heldere dagen waarop de lucht zo scherp is dat die in de zintuigen en herinnering gebrand blijft staan. Dat was niet nodig, want ik was al erg gespannen bij het vooruitzicht van ons vertrek. In die paar weken was ik Cave meer dan wie ook gaan bewonderen, zelfs meer dan Marmaduke; niet door iets heldhaftigs, maar door die onopgesmukte waardigheid in hem en de kalmte waarmee hij om zich heen keek. Ik denk dat ik extra emotioneel was vanwege ons gezamenlijke verleden, waardoor ik een blik had kunnen werpen op zijn menselijke kant. Het is mogelijk dat ik zijn afstandelijkheid van vóór die tijd had aangezien voor hardheid en hem had beschouwd als iemand zonder warmte.

We maakten die laatste dag een korte wandeling samen, namen de weinige tijd die onze werkzaamheden ons toelieten. Cave had mij uitgekozen. Ik had hem samen met een paar anderen geholpen met het opslaan van de proviand die de kapitein hem voor de winter had toegewezen, in de hut die zijn huis zou worden, en het was zeker een royale voorraad: okshoofden met haver en tarwe, vaten bier en olie, broden, spek en kaas, zout, brandewijn, kruiden, alles wat de scheepsbemanning kon missen om achter te laten; zo'n verscheidenheid aan dingen en zo'n hoeveelheid dat de smalle hut iets weg begon te krijgen van een kruidenierswinkel. En toen we klaar waren, en ook de drie musketten met voldoende kruit veilig en droog waren opgeborgen, nam hij mij apart en moest ik met hem meekomen.

We liepen het strand af naar een plek in het dal waar

een donker bergmeertje was, rond en bruin als een koeienoog. Eerder had ik daar snippen gezien, nadat ik ze had verrast vanuit het omringende moerasland. Ik had ze herkend aan hun snelle zigzagvlucht, maar nu waren de vogels verdwenen.

'Naar het zuiden gevlogen,' zei Cave.

'Jonas Watson zegt dat het dezelfde vogels zijn die we thuis ook zien, en dat ze hier net als wij alleen in de zomer komen.'

'Dat zou kunnen.'

'Waarschijnlijk wordt het binnenkort te koud voor ze. Ze zullen doodgaan van de kou.'

En terwijl ik dat zei, hakte die gedachte op me in me als de gebogen snavel van een snip, en ik wenste dat ik die woorden niet had uitgesproken.

De beek die omlaag liep vanaf het bergmeertje kabbelde licht. Het water en de kleine watervallen ervan zouden spoedig tot zwijgen worden gebracht onder een glazige bedekking van ijs. Wat was het stil daar, zwaar van de intense stilte van het binnenland, met af en toe de verdragende roep van meeuwen en van mannen die het schip aan het laden waren, golvend en ijl vanaf de oever van de fjord.

Cave wist al wat hij zou gaan zeggen.

'Ik wil dat jij mijn deel neemt, jongen. Ik heb het voor je overgeschreven, mijn papier aan de kapitein gegeven. Mijn deel van de opbrengst van de traan en de baleinen. Ook van de hoorn van de eenhoorn. De waarde daarvan is moeilijk te bepalen, maar geloof me, die is hoog. Die hoorn is ongelooflijk zeldzaam, en naar verluidt een krachtig middel tegen allerlei vergiften, hoewel ik daar natuurlijk geen ervaring mee heb, net zo min als ik er bewijzen voor heb. Maar ik heb wel gehoord dat een dergelijke hoorn twintig keer zijn gewicht in goud kan opbrengen. Zorg ervoor dat de kapitein eerlijk handelt en jou alles geeft wat hij mij schuldig is.'

Hij zou het grootste aandeel ervan krijgen, aangezien hij de schedel had gevonden, op een smal strand achter de berg ten noorden van onze baai, de schedel van een vreemd dier waar die ene enorme spiraalvormige slagtand van meer dan twee meter uitstak.

'Nee, mijnheer,' zei ik, niet in staat om deze gunst aan te nemen van de man wiens lot me onvermijdelijk leek. 'Ik hou het niet zelf. Ik zal het voor u bewaren.'

'Neem het aan, Tom. Steek het geld in iets goeds. Je bent jong. Je kunt het gebruiken om er een toekomst mee op te bouwen. Een paar goede reizen en je hebt misschien zelfs je eigen schip, je weet het maar nooit of als je dat liever wilt, een huis op het vasteland.'

'Ik zal het bewaren tot het volgende seizoen.'

'Nee. Je moet het voor jezelf gebruiken.'

Ik ging niet verder tegen zijn vastberadenheid in. Als hij graag wilde dat ik het op dat moment met hem eens was, dan zou ik doen wat hij verlangde. Wat er zou gebeuren als ik het jaar daarop terug zou keren, als hij het door een wonder of door tovenarij zou hebben gered en ik hem daar levend zou aantreffen, dat zou een ander verhaal zijn.

'Goed.' Hij legde een hand op mijn schouder en keek me aan met een open blik. Hoewel ik al bijna net zo lang was als hij, had ik toch het gevoel, toen hij daar zo voor me stond, dat ik tegen hem opkeek.

'Maar, mijnheer, zult u het geld volgend jaar niet zelf nodig hebben?'

Zijn glimlach bereikte alleen zijn ooghoeken. 'Je vergeet dat ik ook nog het geld van de weddenschap krijg.'

DE BELEVENISSEN VAN

THOMAS CAVE

*Een niet in kaart gebracht eiland van Spitsbergen,*
*de winter van 1616-1617*

## 2

In het licht van het Noorden is afstand bedrieglijk. De man op de wal kijkt toe hoe het schip vertrekt, zo langzaam dat de ijzige streep water ervoor nauwelijks zichtbaar breder wordt. De helderheid van de noordpoollucht is zodanig dat zelfs als het schip al ver weg is, de zeilen, masten en details scherp uitkomen alsof ze nog dichtbij zijn, en hij heeft de indruk dat hij nog zou kunnen schreeuwen om de boot terug te laten komen, lang nadat iedereen aan boord al buiten gehoorsafstand is. Hoewel hij dat niet wil, ontsnapt hem toch min of meer een schreeuw, een schreeuw die zowel uit zijn hart als uit zijn longen komt, en die al snel wordt verzwolgen door de kabbelende golfslag op het kiezelstrand.

Uiteindelijk komt er een enkel geluid naar hem toe, een kanonschot dat door zijn zwakte alleen maar bevestigt hoe ver weg het schip intussen al is. Alsof hij dat niet wist. Hij heeft genoeg tijd op deze zeeën doorgebracht om dergelijke effecten van de atmosfeer te herkennen. Hij heeft meegemaakt hoe een ervaren stuurman soms op drie of vier uur vanaf de kust bleef, uit angst op de rotsen te zullen lopen die voor het oog alarmerend dichtbij

waren. Maar hij heeft ook gezien hoe, door een lichte verandering in de lucht, land zich leek terug te trekken voor
een naderend schip, maar urenlang dezelfde helderheid
en verhoudingen behield, ook al leek de wind erheen te
waaien. Dat was zo erg dat het zeelieden angst aanjoeg en
ze het gevoel hadden alsof ze werden vastgehouden door
een verborgen magneet onder het wateroppervlak. In
deze streken kan een man niet altijd op zijn ogen vertrouwen, maar moet hij afgaan op zijn gezonde verstand en
berekeningen om te bepalen wat er voor hem ligt. En
Thomas Cave voelt de wind op zijn wangen, een lichte
bries die van het land achter hem komt, kou vanuit het
noorden. Hij weet dat die het schip wegvoert, hoewel het
lijkt alsof het daar onbeweeglijk ligt in zijn stilte, een
mooi silhouet dat onveranderd blijft telkens als hij ernaar
kijkt, dat niet kleiner lijkt te worden, maar uiteindelijk
gewoon lijkt op te lossen, plotseling, als de helderheid
zelf verdwijnt van de horizon. Hij rilt even, alsof een
mantel van hem is afgenomen, en kijkt ineens oplettend
om zich heen, alsof hij zich nu pas bewust is van de kou,
de tent achter hem, het feit dat het weldra donker zal zijn.
Buiten deze simpele observaties dreigt een dieper besef
dat zijn geest nog even niet kan bevatten: de enormiteit
van wat hij heeft verkozen te gaan doen.

Hij heft zijn kin alsof hij de opening van zijn keel wil
vergroten, zodat hij beter kan ademen. Langzaam ademt
hij in en houdt de lucht vast totdat de gedachte is onder-
drukt.

Dan keert hij de zee en het verdwenen schip de rug toe
en begint het heuveltje achter het kiezelstrand te beklim-

men. Na een paar stappen wordt zijn blik ergens door getrokken. Hij bukt zich om een steen op te rapen, een dunne grijze granieten schijf. Hij weegt die in zijn hand, ziet hoe mooi en volmaakt de steen is, hoe mooi die past in de gebogen lijn van zijn duim en wijsvinger, alsof die is gemaakt om daar te liggen. Dan draait hij zich weer om naar de zee, in de richting van de golven, buigt zijn rug en zwaait zijn arm naar achteren. Met een zwiep van zijn pols laat hij de steen vliegen, langs een horizontale baan, zodat de schijf pas het water raakt als die al vele meters vanaf de waterlijn is. Een keer, twee keer, telkens opnieuw springt de steen over het donkere oppervlak, acht keer in totaal.

De leegte echoot op een dusdanige manier rond het walvisstation dat het lijkt alsof het niet uren maar al jaren verlaten is. Alleen de lucht, tegelijkertijd smerig, ranzig en roetig, en de glans van vet dat zich heeft vastgezet op ieder oppervlak, getuigt van het recente gebruik. Zelfs voor de man die daar nu terugloopt, lijken deze voorwerpen vreemd: de vaten, de kookpotten en ketels, de grote lage tent van zeildoek die opslagplaats en werkplaats was en nu, met een dunne sliert grijze rook erboven onder een grijs wordende hemel, zijn huis zal worden. Dit land is nog geen twintig jaar geleden ontdekt en nu al heeft de mens zijn stempel erop gedrukt, zichtbaar als een werkplaats in de wildernis van een dusdanige massieve, plompe lelijkheid dat die er ook over honderd jaar nog steeds zal misstaan. Maar hij twijfelt er niet aan of God is geduldig. God weet hoe onbeduidend en zwak het werk van de mens is. Hoe dit alles zal terugkeren tot as en stof. Een eindje verderop, verspreid langs de kustlijn, liggen de restanten van de karkassen van een tiental walvissen, stapels botten met een schorre zwerm meeuwen die er nog steeds pikkend en krijsend bezig zijn, rondlopend tussen de grote witte kaakbeenderen als een verzameling verdoemden onder de bogen van een ingestorte kathedraal.

Hun herrie wordt minder als hij zijn woonruimte binnengaat en de dikke houten deur achter zich sluit, die zo zwaar is als de deur van een kerk. Zijn kluizenaarshut. Hij knielt voor de stookplaats en gooit er een stuk walvisspek in, dat sputtert en opvlamt in de schemering. Vanmorgen nog was er een ploeg mannen aan het werk in deze ruimte. Er was lawaai, drukte, stank en de warmte van werkende lijven. Ze hadden hem geholpen met het bouwen van de houten cel binnen de wanden van de tent, ze hadden planken bevestigd en zand gestort. Hun afwezigheid is nu des te voelbaarder, omdat hier in de besloten ruimte hun lucht nog sterker is blijven hangen dan buiten, een dierlijke lucht van lichamen, zweet en visolie, een kwalijk riekende bedompte lucht die hem nu pas opvalt, nu ze weg zijn.

De kamer is nauwelijks negen vierkante meter, de stookplaats in het midden ervan, de rook die optrekt door een trechtervormige opening van zeildoek in het plafond. Hij is gedeeltelijk onder de grond, waarbij voor de vloer door het zand is gegraven tot op de onderliggende rotsbodem. De wanden boven de grond zijn dik, vervaardigd van twee lagen nauw aansluitende grenen planken, de ruimte ertussen gevuld met zand, emmers vol, totdat er een regen van zandkorrels tussen de kleine openingen in de planknaden naar buiten werd geperst. Het was, denkt hij, bevredigend werk. Nu de wanden op deze manier zijn geïsoleerd, zullen ze de ergste wind of een sneeuwstorm kunnen doorstaan, al zal die wel kunnen rondwervelen in de tentruimte erachter. Zijn kamer is nu zo geïsoleerd dat als hij stil is, alleen het gezelschap van het vuur hem weerhoudt van het gevoel dat hij doof is.

Vlak bij de haard heeft hij zijn slaapplaats, een houten bed verzonken in gedroogde rendierhuiden. De wol van deze noordelijke rendieren is dikker dan die van de herten in Engeland, de huiden steviger, warm onder je lichaam en erboven als een stevige omhelzing. Ze zijn ruw gelooid, maar ruiken toch niet te sterk; ze zullen meegaan tot de volgende zomer. De huiden en het vuur zullen zijn weinige gerief zijn. Behalve dit heeft hij als meubilair alleen een simpele tafel en een stoel, en zijn kist, bedekt met huiden, waarin hij alles bewaart wat hij altijd van haven naar haven heeft vervoerd: wat bezittingen die nuttig zijn en wat dingen die hij nog van vroeger heeft bewaard: kleding, twijntouw, een mes, zijn bijbel en gebedenboek, het schoenmakersgereedschap waarmee hij ooit op het vasteland werkte en die sindsdien lange uren van reizen en wachten hebben verdreven, en zijn viool, erbovenop gelegd en gewikkeld in een lap geborduurde stof.

Hij haalt de viool eruit, wikkelt de stof eraf en hangt het instrument aan de muur. Niet te dicht bij de stookplaats, want hij mag niet te warm worden. Door zijn viool tevoorschijn te halen en die neer te leggen op de pinnen die hij in de muur heeft aangebracht, maakt hij van de hut zijn eigen plek. Hij gaat voorzichtig met de viool om, en de gladde aanraking van het hout brengt een herinnering over naar zijn vingers. Hij heeft de viool al eens eerder zo opgehangen, op een andere wand van houten planken, naast een vierkant venster zonder glas met een plaatsje en een tuin eronder. Even houdt hij het instrument vast en streelt het, maar dan verdrijft hij met koele zelfbeheersing het beeld uit zijn geest. In deze kamer zijn geen vensters, geen uitzicht op land of lucht.

Geen dromen, zegt hij tegen zichzelf, maar doelmatigheid. Deze ruimte is bedoeld, geschikt voor uitsluitend overleving. Hij gaat naar de dingen die zijn scheepsmaten hem hebben gegeven. Ze denken dat een man veel nodig heeft: drie musketten, een paar pond hagel, een kruithoorn en een kruitvat dat hij warm en droog moet houden in de buurt van de stookplaats, een zwaard dat hij naast de deur zal zetten, een gebedenboek, een almanak, een telescoop, een blanco journaal en een bundel pennen van kapitein Duke, die hij netjes naast elkaar op de rechterhoek van zijn tafel legt. Hij legt het journaal erbij en aarzelt, vraagt zich af wat voor verslag hij zal schrijven over deze dag, pakt het boek weer op in zijn verweerde handen en legt het deze keer midden op tafel voor de stoel. Toch gaat hij nog niet zitten, nog niet. Hij gaat in plaats daarvan naar de deur, waarachter de proviand is opgestapeld, begint uit te zoeken welke dingen hij in de kamer moet brengen en wat daarbuiten kan blijven, blootgesteld aan de extreme weersomstandigheden die er in de komende maanden te verwachten zijn. Er zijn tonnetjes, vaten, fusten, zakken; hard brood, scheepsbeschuit, boter, kazen, gerookt vlees, gedroogde pruimen, drank, suiker, kruiden. Verbazingwekkend om de verscheidenheid van zijn benodigdheden te zien. Ze hebben ook tabak voor hem achtergelaten, evenals tondels, kaarsen en zeep. Hij begint alles uit te leggen en te sorteren, maar heeft niet de moed om het werk die avond af te maken. Plotseling is hij doodmoe en kan het nut van al die dingen niet inzien. Zo veel kruidenierswaren alleen voor hem, voor slechts één man; het lijkt krankzinnig en een extreme overdaad, alsof lucht het enige zou zijn wat een mens alleen nodig heeft.

Hij zal alles laten waar het staat, voor deze nacht tenminste. Hij trekt de zware deur van zijn cel dicht. In het journaal zal hij slechts één ding schrijven, de titel en de datum: *24 augustus in het jaar des Heren 1616. Voor kapitein Thomas Marmaduke van Hull, een verslag van de ervaringen van zeeman Thomas Cave, zijn verblijf in Duke's Cove op de kust van het onontdekte gebied van Oost-Groenland, voor zover bekend de eerste keer dat een mens daar een winter zal doorbrengen.*

# 3

Hij slaapt die eerste nacht diep en kan zich niet herinneren of hij heeft gedroomd. Hij ontwaakt zonder enige gedachten in de geïsoleerde kamer, wordt wakker in totale stilte en duisternis, alleen verlicht door de gloed van het smeulende vuur. Hoe lang is het geleden dat hij heeft geslapen zonder dat er een stuk of wat andere mannen om hem heen lagen te snurken, winden te laten, te woelen? Hij sluit opnieuw zijn ogen, gaat weer liggen onder het gewicht van rendierhuiden en luistert, luistert ingespannen totdat hij het verre gekrijs van meeuwen kan horen en een gedreun dat van de zee afkomstig kan zijn, maar net zo goed het geklop van bloed in zijn binnenoor kan zijn. Het duurt nog even voordat hij weer weet waar hij is.

Het daglicht is zo mooi en helder dat, als hij uit de tent stapt, het gevoel hem bekruipt alsof hij uit een schacht diep onder de grond komt. Hij staat daar en knippert met zijn ogen, zijn hand op de deurpost. De heldere lichtblauwe kleur van zijn ogen is een weerspiegeling van de lucht. Thomas Cave heeft het uiterlijk van iemand uit het Noorden, ook al is hij er niet geboren: lang, met lange armen en benen, hologig, blond, Noordse genen bij deze man uit Suffolk, waardoor hij zich op zijn gemak voelt in dit landschap met zijn spitse bergtoppen en koude kabbelende zee. Daardoor ook loopt hij zelfverzekerd rond, met soepele stappen over de nauwelijks bedekte bodem vanaf de tent in de richting van de loop van de rivier. Hij volgt die tot aan een helling waarvan hij weet dat de rotswanden glooien en beschutting bieden op de zonkant, waardoor er lepelblad groeit.

Hij draagt een sikkel en een jutezak. Hij heeft zo zijn plannen, weet dat hij het daglicht en het korte groeiseizoen dat hem nog rest ten volle moet benutten. Vandaag zal hij sla snijden, hoewel sla een weelderige naam is voor dit groen dat bijna de enige eetbare plant hier is, een bitter waterkersachtig kruid dat zeelieden kennen als een geneeskrachtige plant voor zweren en infecties in de mond en, nog belangrijker, als een preventief middel tegen scheurbuik. Hij wil de hele dag doorwerken, in het moeras zoeken en aan de voet van de berg, de zak vullen als hij voldoende groen spul kan vinden en het meenemen om te drogen onder een bedekking, de stengels spreiden zoals hij dat ooit met hooi deed om het voor de winter te conserveren. Hij weet dat hij laat is; stengels en bladeren zijn schaars, moeilijk te vinden, maar zelfs de kleinste blaadjes hebben waarde als ze worden gebrouwen als thee.

Er wordt beweerd dat er drie dingen helpen tegen scheurbuik: sla en fruit, vers vlees en ook beweging, want het is opgevallen onder zeelieden dat het altijd de luie mannen zijn die het eerst slachtoffer worden van de ziekte, alsof Gods oordeel daarmee gemoeid is. Alleen dit laatste wil Thomas Cave niet aanvaarden, hij gelooft dat een dergelijk oordeel niet in dit leven over een mens wordt geveld, maar pas in het volgende. Hij is een nieuwerwets en logisch denkend mens en zal de oorzaak niet zoeken bij een dergelijk bijgeloof, maar vermoedt in plaats daarvan dat er een direct verband bestaat waarbij fysieke activiteit zorgt voor de opbouw van lichaamssappen die weerstand bieden tegen de ziekte, of dat luie mensen een aangeboren zwakte of aanleg hebben waar de ziekte gebruik van maakt. Het kan ook zijn dat deze indruk alleen wordt gewekt door de ogenschijnlijke traagheid van de ziekte zelf, die een man besluipt en hem traag en zwak maakt, zijn bloed en zijn vezels dunner maakt zodat zijn lippen barsten en zijn tanden los gaan zitten, en zijn energie wegvloeit totdat hij ligt dood te gaan, opgerold in zijn kooi als een baby met zijn vuisten tussen zijn gevouwen knieën.

Hoe dan ook, hij zal zijn wilskracht gebruiken. Als hij door zelf iets te doen de ziekte op afstand kan houden, dan zal hij daaraan werken. Hij baant zich een weg door het landschap, van de ene groep planten naar de volgende, laag buigend en soms op zijn knieën, om uiteindelijk verbaasd opkijkend te zien hoe de hemel van kleur is veranderd, hoe de zon plotseling lijkt te zijn weggezakt in de baai. Het doet pijn om overeind te komen. Hij legt de sikkel neer en strekt zich uit, draait zijn hoofd rond om zijn nek los te maken, wrijft over de spieren van zijn rug waar ze omlaag lopen naar zijn middel. Zijn lijf is stijf geworden, het is niet meer zo soepel als het ooit was. De kleur van de zon wordt zachter en verspreidt zich, een roze gloed die zich uitstrekt over de hemel en de zee tegen de tijd dat hij terug is bij de tent, het goede van een werkzame dag als een gebed in zijn hart.

*Deze eerste dag van mijn verblijf brak helder en mooi aan, waarvoor de Heer zij gedankt. Ik stond vroeg op en begon lepelblad te verzamelen op de plek waar ik het had zien groeien aan de lijzijde van de berg naar het zuiden. Dat heb ik naar de tent gebracht en het daar uitgespreid om het te laten drogen.*

Het lepelblad ruikt niet zoet als hij het uitlegt, maar scherp en zwavelachtig en mengt zich met de rokerigheid van de lucht. De nachtvorst is al voelbaar. *Als de nacht komt, is de lucht koud, de hemel grimmig met een ijzige glinstering. Ik verwacht niet dat ik nog veel gelegenheid zal krijgen om op foerage uit te gaan.*

Hij sluit zijn ogen, gaapt, met de ganzenveer in zijn handen. Wat moet hij nog meer schrijven? Het leven is heel simpel als het wordt teruggebracht tot één dag per keer en tot de routine van die ene dag van overleving. Hij heeft gewerkt, is teruggekeerd, is begonnen aan de rangschikking van zijn voorraden. Op een paar bladzijden achter in het journaal begint hij aan een lijst van de voorraden en begint aan een berekening van de hoeveelheden die hij elke week mag gebruiken.

Het mooie weer houdt nog maar drie dagen aan. De laatste van die dagen staat hij zichzelf toe om de omgeving te verkennen. Hij heeft gemerkt hoe het zicht nu verrassend veel beter is dan zelfs op de helderste dagen van de zomer, toen een groep walvisjagers het binnenland in was getrokken en de loop van de rivier had gevolgd tot aan de watervallen. Daar hadden ze de zuidelijkste van de twee spitse bergen beklommen die uitkijkt over de baai. Hij loopt in de richting van de noordelijke berg, die ruiger en puntiger is dan de andere. Zo steil rijst die op van het strand dat hij zich niet kan voorstellen dat hij die vanaf deze kant kan beklimmen, maar alleen vanaf de achterkant, via de watervallen en dan over de bergkam naar boven. Hij heeft deze zuidoostelijke zijde aandachtig bestudeerd, zoekend naar de mogelijkheid van een pad. Hij is dankbaar voor de hoek en de scherpte van het ochtendlicht dat iedere glooiing, rots en speciale kenmerken van de bergzijde aftekent en beschaduwt, alsof ze erin zijn gegraveerd met een fijne naald.

Alles is zo helder. Afstand, voorgrond, alles heeft details. De kleuren in de stenen, de groene en gele bloemetjes van het korstmos, de steeltjes en rood verkleurde blaadjes van de weinige kleine planten. De structuur van de rotsen, de spleten en scherpe randen die hij zelfs door zijn laarzen heen kan voelen en die zijn handen schaven als hij moet klauteren. De berghelling gemarmerd met zwarte ravijnen, zilverachtige waterloopjes, sneeuwvelden van een gepolijste witheid. De vallei die wegvalt onder hem, de zwartheid van het moeras en de glinstering van de stroompjes die erin uitmonden, een wirwar van witte strepen die uitstromen en weer in elkaar overvloeien als de takken en twijgen van een boom.

Op de top waait een wind die tranen in zijn ogen brengt. De bergtop is zo spits dat hij er niet langer dan een seconde op durft te gaan staan, uit angst dat de wind hem weg zal blazen. Hij hurkt in plaats daarvan in de luwte van een rotsblok, waarbij hij door zijn opgewondenheid zo gespannen is als een luipaard die op het punt staat toe te slaan. Of een loerende adelaar. Vóór hem ziet hij nu alles met adelaarsogen: overal in zijn gezichtsveld bergen in de vorm van vlammen, brandend wit met de zon erop, en daarachter in alle richtingen, glad en blauwwit, een bevroren zee.

*Naar mijn mening kan dit niet Oost-Groenland zijn, maar is het een eiland, een gebied waar we nog geen naam voor hebben. Onze schepen hebben de zuidelijke kust bevaren en we dachten dat dit land een kaap was of een uitstekend deel van een groter vasteland, maar gisteren heb ik de berg aan de noordkant beklommen, waarbij ik ontdekte dat dit niet zo is, maar dat dit stuk land inderdaad aan alle kanten is omgeven door zee. De zee naar het noorden lijkt bevroren, dus is het toch nog mogelijk dat het via het ijs is verbonden met verder gelegen land.*

*Op deze dag, 2 september, zag ik voor het eerst een kleine hoeveelheid ijs dat heen en weer dreef in de baai, en met mijn telescoop zag ik op een ijsschots in de verte twee slapende walrussen liggen. Ik vond echter dat ze te ver weg waren om erop te kunnen jagen.*

Hij zag ook wolken, wolken die snel binnendreven vanuit het oosten terwijl hij uitkeek over de zee, en toen hij zich omdraaide, plotseling loodgrijs boven het eiland achter hem hingen. De temperatuur was net zo snel veranderd, een plotselinge daling die bijna net zo merkbaar was als het verlies van licht. De eerste sneeuw die viel

sinds hij daar alleen verbleef, was wat lichte, onbeteke-
nende sneeuw, niet meer dan wat lichte vlokken, net
genoeg om de oppervlakte van het eiland te bedekken, om
rotsen en vegetatie te verbergen gedurende één opake stille dag, totdat de wind weer aantrok en sommige plekken
weer van sneeuw ontdeed.

*In de sneeuw heb ik dicht bij de tent sporen van herten aan-
getroffen. In de stilte en mist van de vorige dag wilde ik me
niet te ver van de tent wagen, uit angst dat ik niet meer zou
kunnen terugkeren, maar vandaag was het mogelijk om te
jagen. Ik heb een tamelijk flink rendier op nog geen honderd
meter van mijn deur gedood. Samen met de proviand van het
schip en de vogels die ik heb gevangen, heb ik in de tent nu een
goede voorraad vlees hangen.*

Het rendier was een bok en het was wel duidelijk dat
het nog nooit een mens had gezien. Hij had er met de
wind mee op gejaagd, waarbij hij heel voorzichtig was
geweest, gebogen en met stille voetstappen in de sneeuw
liep, maar toen hij net binnen schootsafstand was, had
het dier toch iets gemerkt. Het keek om zich heen en hij
had kunnen zweren dat het hem recht aankeek, even alert
als hij herten vroeger al zo vaak had zien kijken, in die
intense bevroren seconde voordat ze op de vlucht slaan.
Alleen vluchtte dit rendier niet, maar zag hem met zijn
arm gestrekt aan het musket staan terwijl hij richtte. Het
boog alleen zijn grote kop met het gewei, alsof hij geen
levend wezen was, niet veel anders dan een stuk drijfhout,
een vreemde boom aangespoeld op de kust, en kauwde
opnieuw op wat dun mos waar zijn hoeven een stuk
sneeuw hadden omgewoeld.

De bok was te zwaar voor hem om mee te nemen en in de tent op te hangen, zodat hij het slachten meteen ter plekke had gedaan, met koude handen en de wind die vreemde ijzige vlokken als speldenprikken tegen zijn gezicht joeg. Hij vilde het, verwijderde de ingewanden, hakte het karkas ruw in stukken, en liet alles wat hij niet wilde hebben als voedsel voor vossen en meeuwen achter. De stukken die hij afsneed, bracht hij de tent in, waste ze in een ketel met azijn en bestrooide ze daarna met peper. Opgehangen tussen de stokken begon het vlees meteen al te bevriezen, en liet op de grond eronder een poel van half bevroren bloed achter dat zo donker was dat het bijna zwart leek. Hij heeft een lapje vlees achtergehouden om dat die avond vers te eten, krachtig donker vlees en heel mager.

De volgende dag verschijnen er nog meer herten en hij heeft opnieuw succes, doodt twee jongere dieren, sleept ze naar de tent om ze daar op te hangen en gebruikt stukken van hun vlees als aas voor de vallen die hij voor vossen heeft gezet. De uren met daglicht zijn kort, de hemel laag, de zon meer een vage kleur, eerder een idee dan een vorm, te vaak verduisterd achter zware wolken. Hij voelt druk achter de jacht; met elk pond vlees dat hij kan ophangen en bevriezen of conserveren, verzekert hij zich van een stuk tijd. Hij weet niet hoeveel licht, hoeveel kou hij van deze winter kan verwachten, en evenmin of er behalve hijzelf, nog ademende warmbloedige wezens zijn die de winter zullen overleven.

# 4

*Sint-Michiel. De afgelopen drie dagen heeft een plotselinge sneeuwstorm me binnengehouden. De woestheid ervan was verbazingwekkend en paste meer bij een storm op de oceaan dan op het land. Mijn cel is stevig en behaaglijk en houdt alles tegen, op een licht geruis van wat tocht na. Binnen de trillende wanden van de buitentent huilt echter de wind. Fijne sneeuw is daar binnengedrongen en verzamelt zich in de hoeken, boven op de voorraad en tegen de buitenste wand. Elke dag, als de razernij van de sneeuwstorm aan het geluid te oordelen iets was afgenomen, ging ik naar de deur van de tent om de ruimte erachter schoon te vegen. De sneeuw zou zich anders te erg kunnen ophopen, zodat ik binnen zou worden begraven.*

Daar stopt hij, en in de leegte van het moment grijpt zijn verbeeldingskracht het woord dat zijn pen zojuist heeft gevormd. Onwillekeurig sluit hij zijn ogen. Af en toe wordt hij overvallen door angst. Op zijn oogleden kan hij de sneeuw voelen neerdalen, wit dat alle kleur verdrijft, witte vlokken die zich verzamelen en hem begraven. Hij kan de sneeuw op zijn ogen zwaarder voelen worden, koud op zijn lippen, zich ertussen persend als tussen de naden van de tent; sneeuw, gewichtloze vlokken die gewicht opbouwen, vingers die bevriezen als ze zich uit-strekken door de sneeuw.

Nee, 'begraven' wil hij niet zeggen. Hij zal zeggen 'omsloten'. Hij krast het eerste woord door, morst een druppel inkt, schrijft het andere woord erboven, een troostend woord met ronde o's. De sneeuw wordt daar-door zacht, een omhulling, een kussen, een donzige deken tussen hemzelf en de buitenwereld. In het kaars-licht, in de stilte van de binnenkamer, vormen zijn lippen geluidloos de woorden die hij heeft geschreven en hij vindt troost in de vorm van de letters, in de genoteerde feiten, in het opschrijven ervan. Hij gebruikt dit ook om zijn angst te onderdrukken.

*Voor het geval de voorraad hout die ik heb niet toereikend zal blijken voor de tijd die ik hier zal doorbrengen, heb ik iets uitgeprobeerd met het vuur, door in het midden van de opgera-kelde sintels een blok olmenhout te leggen en daarop as te stape-len. Ik ontdekte dat dit ongeveer zestien uur later nog steeds brandde.*

Dat is het soort dingen dat kapitein Duke graag zal wil-len weten. Wat je met je verstand gewaar kunt worden, wat het lichaam kan doen. De kapitein heeft hem het journaal gegeven, niet om zijn gedachten weer te geven, maar om de feiten te noteren — de middelen om te over-leven — zodat, mocht hij niet meer in leven zijn als de Heartsease terugkeert, het boek in ieder geval zal getui-gen van de omstandigheden waarmee hij te maken heeft gehad en de levensvatbaarheid van een toekomstige poging om op deze geografische breedte te overwinteren.

*Twee oude sloepen die verlaten op het strand lagen, heb ik gesloopt en naar de tent gebracht om de voorraad brandhout aan te vullen. Ik heb de planken in mijn hut opgeslagen, door ze horizontaal over de dakspanten te leggen, zodat ze een ruw plafond vormen en bijdragen aan het vasthouden van de warmte van het vuur.* Van het werk zelf kreeg hij het warm. Het hout van de oude walvissloepen was broos door ouderdom en zout en spleet scherp, waarbij de lucht van teer vrijkwam die er diep in doorgedrongen was, een scherpe rokerige lucht die op zichzelf al de herinnering aan warmte naar boven bracht.

*Er ligt nog een hoeveelheid drijfhout langs de baai, maar ik denk dat dit maar een beperkte voorraad is. Aangezien er geen bomen groeien op deze geografische breedte, moet al het drijfhout op deze stranden afkomstig zijn van de kust van Noorwegen, en aangezien er hier nooit eerder mensen hebben gewoond om het te gebruiken, vermoed ik dat wat ik hier zie de ophoping is van eeuwen, van Gods tijd sinds het begin van de wereld, en dat het vele eeuwen zal duren voordat het hout dat ik gebruik, vervangen zal zijn.*

Iedere gedachte buiten het praktische is overdaad, ijdelheid. Nutteloos voor zichzelf en voor zijn overleving en niet interessant voor andere mensen. Het zou ijdelheid zijn om te denken dat kapitein Duke waarde zou hechten aan zijn gedachten, zelfs aan zijn persoon, ook al had hij hem omarmd bij hun afscheid en hem als een vriend dicht tegen zich aan gehouden.

Ze hadden maar één keer echt met elkaar gesproken, een gesprek van man tot man, een paar dagen nadat de weddenschap was aangegaan, toen de kapitein hem naar zijn hut had laten komen en daar alleen met hem had gesproken. Hij was daar nooit eerder geweest en was verbaasd over de warmte en de gezelligheid ervan, een warm bruin gemeubileerde ruimte, maar wel krap waar Duke, omdat die tamelijk klein was, rechtop kon staan, maar waar hijzelf moest bukken om met de kapitein te praten. Toch vond hij het niet gepast om de stoel te aanvaarden die hem werd aangeboden.

De bijzonderheden van dat gesprek zijn al heel wat keren door zijn hoofd gegaan, zo veel ervan onuitgesproken waar hij misschien, als hij een andere man zou zijn geweest, de woorden voor had kunnen vinden met daarin een verklaring, toelichting, verduidelijking, een antwoord op wat zich verhuld in hem bevindt.

'De mannen hebben me verteld van je vastbeslotenheid, Thomas Cave. Ze zeggen dat ik het geld mag inhouden dat ze hebben ingezet, voor als we volgend seizoen terugkeren, maar dat zal ik pas doen als ik jouw bevestiging heb dat je dit inderdaad gaat doorzetten.'

'Dat doe ik.'

Niet meer dan drie woorden, en die kwamen er duidelijk en zonder aarzeling uit. Hij had gezegd wat hij had gezegd en zag geen reden waarom de kapitein daaraan zou moeten twijfelen.

'Ben je daar zeker van? Je begrijpt dat het mijn plicht is om me ervan te verzekeren dat jouw besluit vaststaat?'

'Inderdaad.'

'Je spreekt er luchtig over, maar toch geloof ik niet dat je een dwaze of onbezonnen man bent. Ik vraag me af wat je motief is. Je werd beslist getergd door Carnock. Ik weet dat Carnock een man is die om iets onbenulligs een twist-gesprek kan laten ontstaan, maar ik vermoed dat hier meer achter zit dan alleen dit.'

Hij had dat laatste op vragende toon gezegd, maar ging al snel verder omdat hij wel begreep dat er geen antwoord zou komen. 'Is er nog iets anders tussen jou en hem? Of misschien iets tussen jou en God?'

Maar Cave bleef daar met gebogen hoofd staan en liet ook deze vraag passeren. De kapitein, een levendige, ener-gieke en ongeduldige man, beëindigde ook deze stilte voordat hij kon reageren. Hij glimlachte, een levendige glimlach, witte tanden in een donkere baard, intens blau-we Keltische ogen, en pakte zijn arm om hem terug te lei-den naar het dek, waar de hemel hoog was en hij rechtop kon staan. Hij draaide zijn hoofd naar de heldere zee en begon een verhaal te vertellen, net toen bij Cave de woor-den naar boven kwamen die hij misschien had kunnen zeggen.

'Wat jij van plan bent om te gaan doen, doet me ergens aan denken,' zei de kapitein. 'Aan een man die ik de afge-lopen winter heb ontmoet, toen ik aan de wal was. Het was een oude zeeman die vroeger vaak in West-Indië was geweest, een jaar of twintig jaar geleden. Hij ging met Raleigh op een grote reis op zoek naar indiaans goud — een gekte in die tijd waarin bijna iedere man als hij aange-schoten was of op een rustig moment aan het fantaseren sloeg, droomde over het vinden van een fortuin waarmee hij dat van de Spanjaarden kon overtroeven, hoewel ik nooit heb geloofd dat er zoiets als een goudland bestaat. Voor mij bestaat er alleen noeste arbeid, het jagen op wal-

vissen en een eerlijke handel in traan, baleinen, walvisspek en vaten, maar ik ben dan ook een eenvoudig mens,
een simpele zeeman uit Hull die voor zichzelf werkt, niet
iemand in dienst van de koning en evenmin een dichter.
Maar goed, die zeeman dus zei dat ze niets hadden horen
fluisteren over rijke mijnen, en geen ander goud zagen
dan de opzichtige stukjes die de indianen om hun hals en
in hun oren droegen. Uiteindelijk besluit Raleigh dan om
terug te keren naar Engeland, maar hij wil de zoon van
een plaatselijk opperhoofd meenemen om die thuis te
vertonen en ruilt hem voor een van zijn eigen matrozen
die hij daar achterlaat, in een dorp met wilden op de modderige oevers van een grote rivier, zonder enige hoop op
terugkeer.'

'En wat is er van die man geworden?'

'Mijn zegsman wist dat niet. Hij ging van boord toen
ze terugkwamen in Engeland en hoorde er verder niets
meer over. Maar hij was het niet vergeten. De matroos
was eigenlijk nog een jongen, nauwelijks zestien jaar oud.'

'Zijn geval, mijnheer, was totaal anders dan dat van
mij. Ten eerste blijf ik hier omdat ik daar zelf voor kies,
zoals u het stelt, vanuit mijn eigen motieven. En ten
tweede weet ik zeker, en daar heb ik alle vertrouwen in, dat
u zult terugkeren. U bent zoals u zegt, een zakenman,
geen hoveling.'

'Ja, Thomas, ik kom terug.' Daarop liet de kapitein
hem een document aangaande de weddenschap onderte-
kenen en liet hem het geld zien dat de bemanning had
ingezet. Hij borg toen zowel het document als de munten
op in een kist die hij vergrendelde. 'En volgend jaar breng

ik misschien mijn eigen zoon mee. Hij zal tegen die tijd ook zestien jaar zijn. Misschien komt het wel door hem dat ik aan die jongen moest denken.'

'Dan zal ik hem zien.'

'Wat zei je?'

'Het volgende seizoen, als u komt, zal ik uw zoon ontmoeten.'

De kapitein draaide zich om en toonde opnieuw belangstelling voor hem. 'Heb jij geen zoon, Thomas, of familie aan wal?'

'Ooit, mijnheer, had ik een zoon kunnen hebben. Nee, eigenlijk heb ik ooit een zoon gehad.'

De inkt op zijn pen is droog geworden. Het vuur in de stookplaats is uitgegaan. Nee, zo wil hij niet denken. Thomas Cave stookt het vuur op, kijkt toe totdat de vlammen weer rustig branden, keert terug naar de tafel, maakt zijn pen schoon en doopt die weer in de inkt.

*Weersveranderingen komen hier als plotselinge en totale transformaties. Ineens wervelt er een sneeuwstorm die alles verduistert, om dan net zo plotseling weer af te nemen, waarna er een stilte en helderheid is alsof alles voor je ogen is gemaakt van glas. De verandering van het seizoen zelf heeft echter een stabiele en met onheil beladen voortgang, ongeacht de stormen en de veranderingen in wind en temperatuur. De dieren met wie ik dit eiland heb gedeeld, leken dit ook te begrijpen. In de afgelopen zes of meer weken heb ik het vertrek van de vogels meegemaakt die in de eerste dagen van mijn eenzaamheid nog in grote zwermen in de lucht vlogen, langs het strand en boven de rotsen. Zilvermeeuwen, alken, stormvo-*

gels, drieteenmeeuwen en andere vogels waarvan ik de naam niet ken, hebben zich verzameld en zijn naar het zuiden vertrokken, de ene soort na de andere, totdat er geen schreeuw of vleugel meer boven mijn hoofd te horen was en de stilte oorverdovend werd. Dag na dag was de zon merkbaar korter te zien, tot de dagen waarop de schijf groot, kleurrijk en vreemd afgevlakt nog maar een paar minuten aan de zuidelijke horizon bleef hangen, hoewel de rode gloed ervan lange tijd kon blijven schijnen over een brede strook aan de onderkant van de hemel. De hele baai is nu met een soortgelijke onvermijdelijkheid volgelopen met ijs, eerst aardig ogend als verre schepen met zeilen, soms wit, soms blauw, soms roze en lila getint alsof het werd aangeraakt door het verdwijnende licht. Het ijs week terug, naderde dan weer, om uiteindelijk permanent te blijven, terwijl het water erboven eerst stoomde en zich toen gewonnen gaf, om tot slot te bevriezen tot een harde korst.

Het is mijn gewoonte geworden om elke dag naar een uitkijkpunt op de berg achter het strand te klimmen, om de terugtrekkende zon zo goed mogelijk te kunnen zien — zo vaak dat het nu mogelijk is om in de schemering een duidelijk pad te zien dat mijn voeten in de sneeuw hebben gemaakt. De laatste paar dagen was het beeld van de zon zo licht dat ik niet wist hoeveel ervan alleen bestond als een misleiding van het oog of een waanvoorstelling van mij was, maar op deze dag, 15 oktober, verscheen er zelfs niet de dunste strook. Ik weet dat ik voor dit jaar het laatste van de zon heb gezien. De grote kou komt eraan.

## 5

Hiervóór had hij een gezinsleven gehad. Een normale woonkamer, de kou buiten, een vuur binnen. In de tijd waarin hij een vak leerde in de lange uren van wintermiddagen, een vak waarvan hij dacht dat hij daarmee de kost zou kunnen verdienen als hij een punt had gezet achter zijn leven op zee. Hij leerde van haar vader hoe hij een leest moest vormen, zolen en hakken moest maken, leer moest snijden, stikken en polijsten. Zowel toen als nu werkte hij op het geluid van het vuur in de haard, werkte hij tegen het gemurmel van rustige vlammen, het geknetter en het vallen van houtblokken. Toen leek het leven uit niets anders te bestaan dan alles wat zich in die ene vierkante kamer bevond, een hart dat werd verlicht door vuur, met de rest van de wereld ver weg en immens daarbuiten.

De behoefte aan routine is voor hem nog groter geworden sinds het patroon van dag en nacht is verdwenen. In september had hij nog houvast aan de wetenschap dat hij kon rekenen op zonsopgang en zonsondergang om zijn uren te markeren, en het einde van de dag af te sluiten met gebed en een maaltijd. Sinds het verdwijnen van de zon probeert hij volhardend acht te slaan op het normale verstrijken van de tijd. Hij bepaalt het ritme van wakker worden en eten aan de hand van de tijden van zijn gebeden, noemt de dagen bij zichzelf en streept ze door. Hij let er elke dag op hoe lang de periode duurt waarin er nog een zweem van daglicht aan de zuidelijke hemel standhoudt, wanneer er nog wat licht is om bijvoorbeeld verzen uit de bijbel te lezen, of desnoods alleen de titels en koppen op de bladzijden. Als er voldoende zicht is observeert hij de grootte en de vorm van de maan en noteert dat op een dusdanige manier dat hij, zelfs als dat licht verdwenen is, nog door kan gaan met het bijhouden van een nauwkeurig overzicht van de dagen van de week en het verstrijken van de maanden.

Hij ontwaakt, bidt, rakelt de sintels op, brengt het vuur weer tot leven. De ochtenden van de dagen die op deze manier vorm hebben gekregen, vult hij met jagen, houthakken of het aanbrengen van aanpassingen of verbeteringen in zijn woonruimte, waarbij hij aan de simpelste slimmigheden een kinderlijk plezier beleeft. Zo heeft hij de schoorsteenkap boven de stookplaats met een stuk zeildoek verlengd, waardoor niet alleen de trek is verbeterd, maar ook de rokerigheid van de lucht in de kamer is verminderd. Dergelijke verbeteringen zijn heel belangrijk voor hem. Nog ingenieuzer heeft hij een stuk lood gebruikt dat hij ergens van af heeft gehaald om er een lamp mee te construeren waarin hij traan kan gieten, alsof hij een rijke koopman in Kopenhagen is. In die heldere lichtgloed kan hij de rest van de dag blijven zitten om te schrijven in zijn journaal, te lezen in zijn bijbel, of houten hakken voor schoenen te maken.

Hij heeft al zo veel hakken gemaakt dat hij een plank aan de muur tegenover de tafel heeft bevestigd om ze daar op te stapelen. Het zijn er zo veel dat hij, als hij op een avond opkijkt van zijn werk en al die hakken ziet, plotseling moet lachen. Hij lacht om de absurditeit van de tientallen hakken, hakken die in paren samengevoegd op schoenen moeten worden bevestigd, moeten worden afgedekt of zwart of rood moeten worden geschilderd, hakken die zullen slijten en waarop gedanst zal worden, die over de grond zullen schrapen, in de modder zullen zakken en zullen klikken op kasseien. Het lachwekkende idee, zo komt het hem plotseling voor, van zo veel mensen die nu leven, zelfs al zouden er slechts half zo veel mensen op de hele wereld zijn als de helft van het aantal hakken dat hij heeft gemaakt, twee hakken voor elke man of vrouw, waarbij die ene losse hak op de plank achter de paren misschien bestemd is voor een man met maar één been, of misschien voor iemand zoals de jongen die hij in zijn jeugd heeft gekend, wiens linkerbeen stopte met groeien na een ziekte en nutteloos en ongeschoeid naast zijn kruk en de knie van zijn gezonde rechterbeen bengelde. Hij lacht hardop en het geluid knalt door de stilte van het vertrek. Hij lacht totdat de tranen over zijn wangen rollen bij het beeld van al die frivole schoenen en voeten die rondschuifelen en springen. Hij snuift en blaast lucht door zijn neusgaten naar buiten, en als de lach verdwijnt, is zijn gezicht warm en voelen de spieren ervan vreemd gerekt aan.

En na het gelach stromen er opnieuw tranen uit zijn ogen. Hij kijkt om zich heen. Er zijn zoveel echo's in de kamer als het geluid wegsterft. Hij ziet het plotseling en heeft medelijden met zichzelf, is zich bewust van de primitieve raamloze ruimte en zijn pogingen om er iets gezelligs van te maken, ziet hoe hij bij de inrichting ervan zo veel details van het andere huis heeft geïmiteerd, ook al is hij zich daarvan niet bewust geweest. De manier waarop hij zijn jas op een haak aan de binnenkant van de deur heeft gehangen. De ordening van zijn gereedschap, precies zo neergelegd als op de werkbank van Hans. Het gezangboek en de bijbel op elkaar gelegd op hun vaste plaats naast het bed. De geborduurde doek waarmee hij de viool heeft omwikkeld en als de uitgestrekte vleugels van een meeuw heeft gedrapeerd op de ruwe houten wand. De viool zelf.

Hij heeft er nog niet op gespeeld. Hij heeft hem nog niet aangeraakt sinds hij hem heeft uitgepakt. Hij kan zich er niet toe zetten om erop te spelen, uit angst dat het geluid misschien een lawine in hem kan veroorzaken. Er wordt gezegd dat een geluid dat kan doen, hoewel hij nooit het bewijs ervan met eigen ogen heeft gezien. Er wordt gezegd dat een geluid sneeuw en ijs in beweging kan zetten, een hele berghelling naar beneden kan laten storten. Hier in het Noorden, in de onstabiele omstandigheden van de zomer, voeren de walvisvaarders altijd stil en alert onder de kliffen van de gletsjers door. Zou muziek dat ook doen, zou muziek hetzelfde effect hebben op wat er in hem bevroren is, zou muziek kunnen maken dat hij instort?

Maar nu is de stilte, die als een taboe in de ruimte hing, toch even verbroken. Hij pakt het instrument van de houten pinnen. Niet om erop te spelen, maar om de viool even aan te raken, zegt hij tegen zichzelf, om er met de toppen van zijn vingers overheen te gaan, om aan een snaar te trekken en te horen hoe ver de klank in de kou zal wegzweven. Niet meer dan één vervormde noot: een flits van een herinnering, ogen en een werveling van rokken. Hij neemt het instrument mee naar zijn bed bij het vuur, gaat zitten, legt het op zijn knieën, buigt zijn gekloofde handen eromheen alsof het een baby is. In de warme lichtgloed glanst het hout als een paardenkastanje die net uit zijn stekelige groene bolster is gerold. Er zit zoveel opgesloten in de holle klankkast: het vermogen tot geluid en de herinnering aan geluid, en niet alleen muziek maar aan alle mensen en avonden uit het verleden, honderden mensen, tientallen verschillende plaatsen. Hij sluit zijn ogen, zijn wangen nog vochtig eronder. Licht, alsof er een trilling door hem heen gaat vanaf de grond, alsof de grond eronder bewoog, begint zijn hoofd van de ene naar de andere kant te wiegen. Hij denkt niet aan dansavonden in het algemeen, maar aan een bepaalde avond, een lange avond in een haven in Denemarken die begon met vreemden en muziek en eindigde met een gevoel dat hij vrienden heeft gemaakt, hoewel hij niemand bij naam kende. Hij liep uiteindelijk naar buiten in het maanlicht om naar zijn logies te gaan, met het gezicht van een meisje in zijn hoofd, verhit en blauwogig en met een prachtige bos haar.

Hij ging met een Deen van boord, werd meegenomen omdat die zeeman wist dat hij kon spelen. Het was een trouwerij, hoewel hij noch met de bruid noch met de bruidegom sprak. Hij zei die avond eigenlijk maar heel weinig woorden, alleen dat kleine beetje Engels, Nederlands en Deens dat hij gemeen had met de rest. De muziek was voldoende voor communicatie, oog in oog met de andere spelers, hoofden die knikten, vingers, akkoorden, ritmes, op en neer gaande noten; te weten waar in te vallen, te volgen, te stoppen; patronen die goed werden gespeeld en naar een climax snelden. Overal om hem heen waren lichamen die bewogen, gezichten die zich omdraaiden, lachende monden, ogen die straalden, geklap en gestamp. Uiteindelijk werd de muziek trager en begonnen zijn vingers weg te glijden. Hij was zich toen hoofdzakelijk bewust van één bepaald punt in de menigte dat er voor hem uitsprong: een massa haar die uit de knot op de schouders van het meisje was gevallen, donkerblond en zo'n dikke massa, dat het als een golf omlaag viel, terwijl ze werd rondgedraaid en doorging met haar danspassen. Rond die tijd op de avond was de viool een deel van hem en hij speelde verder, waarbij hij geen scheiding voelde tussen de muziek en hemzelf. Zijn ogen volgden het zwaaien van het haar van het meisje alsof er ook hier geen scheiding was, alsof hij het zelf was die maakte dat het meteen ging rondzwaaien door de bewegingen van zijn vingers, alsof hij het meisje uit de handen van haar partner overnam, en haar liet ronddraaien tot aan het einde van de dans. Toen de muziek ophield, zonk ze bijna met een zucht op de vloer, om even later weer overeind te komen en haar haar in de warmte van haar nek weg te werken. Voor het eerst lette hij nu op haar gezicht, dat vriendelijk en regelmatig geproportioneerd was, maar niet opvallend zou zijn geweest zonder die volheid van het haar dat het omlijstte en die wijd open blauwe ogen.

Ook al heeft hij haar maar kort gekend, toch heeft die eerste keer dat hij haar zag nooit zijn glans verloren en overstraalt nog steeds de rest.

Er was een schoenmaker die zijn werkplaats dicht bij de kade had. Een andere zeeman beval hem aan bij Cave, en zei dat de man laarzen maakte die niet alleen stevig maar ook soepel waren en geschikt waren voor zowel op zee als in de sneeuw. Zijn naam was Hans Jakobsen en hij had zelf een mooi voorbeeld van zijn werk aan zijn voeten, hoewel hij niet zonder twee stokken kon lopen sinds hij zijn wervelkolom had beschadigd bij een ongeluk in zijn jeugd. Toen Cave op zoek ging naar de werkplaats, zag hij het meisje opnieuw. Ze liep op de straat die ze de Strand noemden en hij vroeg de weg, maar ze vertelde hem niet dat de werkplaats van de schoenmaker het huis was waar ze zelf net vandaan was gekomen. Haar haar zat verborgen onder een linnen kap en haar hals eronder was fragiel. Haar ogen gaven geen blijk van herkenning terwijl ze met hem sprak, maar dat was niet zo vreemd, omdat hij er op straat heel anders moest hebben uitgezien, gewoon een zeeman die naar de haven was gekomen en laarzen wilde kopen, geen muzikant die door zijn spel een ander mens werd. Ze had een mand in haar hand, zodat haar hoofd ongetwijfeld bij de dingen was die ze op de markt moest kopen. Ze was voorkomend tegen hem, zoals je je zou gedragen tegen een willekeurige, betrouwbaar ogende vreemdeling. Haar stem was lager dan hij zou hebben verwacht, bedachtzaam, ouder, en met diezelfde rust als in haar ogen. Meer dan dat was het niet, dat eerste contact. Dank je wel en goedendag, en hij ging naar binnen en bestelde zijn laarzen, en toen die klaar waren kwam hij terug en haalde ze op zonder haar weer te zien, en het waren inderdaad net zulke goede laarzen als hem was verteld, van dik waterdicht rundleer en met een zool van drie lagen tegen de kou zodat, toen hij bij een volgende gelegenheid weer in de haven was, hij opnieuw naar de werkplaats ging voor nog een paar, en haar toen weer zag.

Tijdens dat bezoek vroeg Hans Jakobsen hem om te gaan zitten, terwijl hij doorging met werken. Zijn werk kon weleens eenzaam zijn, zei hij, als je dag in dag uit opgesloten zat in je werkplaats met alleen een onnozele leerjongen en een zangvogel als gezelschap, terwijl iedereen binnenkwam en weer wegging. Af en toe vond hij het plezierig als een man even bleef om hem te vertellen over zijn reizen en wat hij allemaal had gezien. Hij werkte al sinds zijn jongensjaren aan de Strand, hij had sindsdien van veel talen wat opgepikt en kende voldoende Engels om een paar verhalen te begrijpen. Thomas Cave hield van de intelligente uitstraling van de oudere man, zijn belangstellende en beweeglijke gezicht, de snelheid van zijn bewegingen die aangaven hoe fit zijn bovenlichaam was, ondanks de zwakte van zijn ongebruikte benen. Hij vond een plek waar hij kon zitten, wat nog niet meeviel omdat de werkplaats klein en vol was, met schoenen en leesten die aan de balken hingen en stukken leer op elk beschikbaar oppervlak. Daar ging hij een pijp zitten roken op de Hollandse manier en beantwoordde de vragen van de andere man. Zelden had hij zichzelf zo veel horen praten. Jakobsen legde een schoen op zijn knie om die te stikken en draaide die rond, om met zijn els zo snel en precies in het leer te steken dat je zou denken dat al zijn concentratie op dit werk gericht was, als hij niet constant van die scherpzinnige en niet aflatend nieuwsgierige vragen had gesteld. Hoe lang waren de mannen die hij had gezien op de Afrikaanse kust? Was het waar dat hun vrouwen een hals hadden die zo lang was als van een zwaan? Wat was dat voor een vrucht die ze banaan noemden, en hoe smaakte die?

Stel je een vrucht voor die geel en lang en gebogen is, maar dik als de steel van je hamer, antwoordde hij lachend, en het vruchtvlees zacht als van een mispel, maar met de zuiverheid en kleur van boter. En door de open deur zag hij het meisje achter in het huis werken en hij realiseerde zich door een bepaalde gelijkenis in haar uiterlijk en haar ogen dat ze de dochter van Jakobsen moest zijn. Hij was blij dat ze nog niet getrouwd was.

Hij bracht de hele middag in de werkplaats door, maar toch kreeg hij niet de kans om met haar te praten. En toen hij de treden naar de straat weer beklom op zijn twee sterke benen, was hij jaloers op het leven van de kreupele man die nergens kwam maar met zijn dochter bij zich op die ene plaats bleef die zijn huis was, waar hij hout en leer met zijn handen bewerkte.

In die dagen en nachten zonder vorm weet hij dat hij het zich niet kan veroorloven om zich te veel over te geven aan zijn gedachten. Als je ze de kans zou geven, konden ze weleens levendiger worden dan zijn eigen werkelijkheid.

De periode in de maand waarin er geen maan is, is het ergst. Als er maan is, is er licht, een licht dat te midden van de sneeuw een wonderbaarlijke helderheid bezit als gedistilleerd daglicht, en er is dan ook beweging, verandering, het zichtbaar verstrijken van de tijd. De maanloze dagen zijn dode dagen en hebben meer dan die andere dagen invloed op zijn gemoedsgesteldheid. Op die dagen bidt hij meer dan anders, bidt tot de Heer dat hij de verleiding tot melancholie zal kunnen weerstaan.

Hij bidt ook om slaap, omdat hij nu weet wat hij vroeger niet wist, dat slaap Gods grootste geschenk is; zijn laatste schepping op de zevende dag, het hoogtepunt van zijn werk. Slaap, zo denkt hij nu, is Gods orde. En op deze plaats waar het patroon van tijd is doorbroken, waar de zon wordt verduisterd en licht en donker niet langer gescheiden zijn, waar de oceaan bevriest tot de hardheid van steen met de vormen van rotsen erin, kost het wilskracht om Gods orde vast te houden. Het is een patroon dat hij zichzelf oplegt, waarbij hij in zijn bed gaat liggen gedurende de tijd die hij daarvoor heeft bepaald, of zijn lichaam of – nog moeilijker – zijn geest nu behoefte heeft om te slapen of niet, om daarna op te staan en de rituelen van de dag te volgen. En toch vreest hij wat ook inderdaad zal gebeuren: dat hij pas goed zal slapen om daarna weer wakker te worden in duidelijke en ordelijke perioden, totdat dag en nacht in de wereld buiten weer normaal zijn.

Sinds die avond waarop hij zichzelf heeft toegestaan om aan haar te denken, is het nog moeilijker geworden om te slapen. Hij hoeft zijn ogen maar te sluiten en haar beeld komt hem voor de geest: haar stem, ogen, lange haren, die maakten dat een stad zijn thuis werd, terwijl hij twintig jaar lang niet de noodzaak van een thuis had gevoeld. Om met haar te kunnen praten, had hij de taal geleerd, voor zover hij dat kon: vreemde woorden maar wel duidelijk en simpel, zodat als hij met haar sprak, hij rechtuit en zonder omwegen iets zei alsof hij nog een kind was.

'Hoe heet je?' vroeg hij. Hoewel hij vaak langs de werkplaats liep, door de straat op te nemen in een vaste route in de tijd dat zijn schip daar lag, had hij haar tot dat moment nooit meer alleen ontmoet.

'Johanne,' antwoordde ze. En toen, opkijkend: 'Ik heb je met mijn vader zien praten in zijn werkplaats.'

'Hij is plezierig om mee te praten, jouw vader. Ik had niet gedacht dat een schoenmaker zo veel dingen zou weten.'

'O, hij praat met iedereen,' zei ze, en haar genegenheid maakte haar stem warm en deed haar glimlachen. 'Hij praat met de mensen die in zijn winkel komen, mensen zoals jij. Hij heeft dat altijd gedaan. Hij maakt ze aan het praten en ze zitten dan bij hem zoals jij en hij maakt intussen hun schoenen. Hier bij de haven moet hij inmiddels mensen hebben ontmoet uit elk land van de wereld. Hij zegt dat iedereen die bij hem komt, een verhaal te vertellen heeft.'

Een verhaal. Heeft hij een verhaal? Nee, het verhaal is van haar, helemaal van haar. Hij staat buiten verhalen. Hij is gewoon een man alleen in het donker, zonder anderen die hem kunnen zien en hem echt kunnen maken.

Op 31 oktober, de vooravond van Allerzielen, en er is een koude glinstering aan de hemel.

Thomas Cave ligt te woelen in zijn bed. De huiden liggen zwaar op hem, maar ze maken hem niet warm. Hij gaat eruit, wikkelt het bont om zich heen, en gooit hout op het vuur. Dan gaat hij stijf gebogen aan zijn tafel zitten, en kijkt tot de vlammen omhoogkomen om hem met hun warmte aan te raken.

Johanne knielt om het vuur te verzorgen en een sliert haar valt over haar gezicht. Ze duwt die terug en het is goud in het licht van de vlammen. Het is zo dik, dat haar, dat hij altijd weer verbaasd is over het gewicht ervan als hij het in zijn hand neemt, het naar achteren beweegt vanuit haar hals en schouders als vele sluiers, om de lokken bij elkaar te voegen en ze in de ring van zijn duim en wijsvinger bijeen te houden, gevlochten als touw.

*Sinds de zee bevroren is, heb ik een aantal ijsberen gezien. Aangezien ik er niet eerder zoveel heb gezien, denk ik dat ze mogelijk over het ijs zijn gekomen. Een andere mogelijkheid is dat ze nu verder aan het jagen zijn dan hun gebruikelijke zomergrond, aangetrokken door de lucht van de visserij of zelfs — hoewel ik dat liever niet denk — door mijn eigen aanwezigheid hier. Zeker een aantal keren heb ik een nogal bedreigend gesnuffel en gezoek gehoord langs de wanden van de tent en toen de geluiden verdwenen waren en ik weer naar buiten durfde te gaan, zag ik dat de sneeuw was omgewoeld en dat er grote pootafdrukken in stonden. Eén keer zag ik een beer alleen tegen de wind in op zo'n tweehonderd meter bij me vandaan. Door zijn witte vacht was zijn maanschaduw* bijna nog scherper dan hijzelf, een grote beer die even rechtop stond als een man en om zich heen keek. Daarna liet hij zich zakken en sukkelde weg, tamelijk licht en gemakkelijk voor zo'n log beest, over het ijs van de baai waar zich veel brokken ijs en schotsen hebben verzameld. Ik pakte mijn musket en volgde hem totdat ik hem onder schot had, onder dekking van grote stukken ijs. Maar voordat ik kon schieten, overkwam me iets onaangenaams. Een smal stuk ijs onder me brak af, dicht bij de plaats waar de rivier in de baai stroomt, en de beweging van water moet het ijs op die plek ongewoon dun hebben gemaakt. Ik viel, en mijn benen schoten in de ijskoude zee. Ik gooide mijn musket snel aan de kant — later vond ik die gelukkig weer terug — en schreeuwde. Ik dank de Here God dat de beer op dat moment vluchtte, terwijl ik spartelde om greep te krijgen op een rand van al dat ruwe ijs om mezelf op te trekken. Verbazingwekkend was de snelheid waarmee het water op mijn laarzen en broek bevroor, waardoor het leek alsof ze al weer droog waren voordat ik begon te rillen.

Sinds die gebeurtenis heb ik een kijkgaatje in de deur van de tent gemaakt waar ik doorheen kan gluren om te zien of er beren lopen rond te snuffelen. Vandaag maakte ik voor het eerst gebruik van dat gaatje en bij de gratie Gods was het een succes. De beer kwam zo dichtbij, was zo nieuwsgierig dat ik in de gelegenheid was om hem van dichtbij door zijn kop te schieten. Zonder een poot te bewegen zonk hij neer in de sneeuw. Niettemin ging ik voorzichtig naar buiten en maakte het werk af met een lans door die als een harpoen te stoten, totdat het bloed als zwart fluweel op de maanverlichte grond druppelde. Dus vandaag heb ik vers vlees, God zij geloofd, en hoef ik in ieder geval de komende weken niet bang te zijn voor een knagend hongergevoel.

*Ik heb de lever van het dier gekookt en ervan gegeten, iets wat ik niet eerder heb gedaan, en vond het heerlijk. Ik denk dat dit orgaan veel energie bevat. Nadat ik had gegeten en mijn gebed had opgezegd, ging ik naar buiten. Omdat het helder en windstil weer was, besloot ik een wandeling te maken. Ik ging een stuk de berg op waar ik wel vaker was geweest, op zoek naar de zon. Dit was de langste wandeling die ik maakte sinds die planeet uit het zicht verdween. Het is opmerkelijk hoe het gevoel van koude aanzienlijk varieert met de hoeveelheid vocht en wind in de lucht. In rustige droge omstandigheden zoals op deze dag veroorzaakt die minder ongemak dan de snijdende natte sneeuwbuien op een meer zuidelijke geografische breedte. Terwijl ik liep, aanschouwde ik een spookachtig pulseren van licht aan de hemel en had ik in deze bijzondere nacht opnieuw de behoefte om te bidden.*

# 6

Er gaat een rilling door hem heen die begint in zijn darmen, maar toch is zijn hoofd warm. Hij voelt een hamer in zijn hoofd, die dreunt tegen zijn slapen. Zijn huid is heet, strak gespannen alsof hij die verbrand heeft. Hij ligt half bewusteloos op het bed, niet wetend wat er met hem aan de hand is, niet eens wetend hoe lang dit al gaande is. Het vuur in hem kan een minuut maar ook al uren hebben geduurd, hij heeft geen besef van tijd meer. Alleen het vuur in de stookplaats kent de tijd. Hij kijkt toe hoe het brandt, vlammen die dansen, kleiner worden, zo magnetiserend dat als hij zijn ogen sluit, ze door zijn kloppende hoofd blijven dansen. Hij voelt hoe nu ook de dunne huid van zijn oogleden strak gespannen is, alsof die verschroeid is en zal knappen, eveneens verbrand door het vuur. Hij doet ze weer open, maar ziet dat dit niet zo is en dat de vlammen in werkelijkheid steeds kleiner zijn geworden en er hout op het vuur moet. Krachteloos stapt hij uit zijn bed. De rillingen trekken opnieuw door hem heen en zijn benen zijn slap alsof ze van papier zijn gemaakt. Maar voordat hij zich met het vuur kan gaan bezighouden, moet hij dringend naar de pot naast de deur om te poepen, zichzelf te ledigen alsof hij gepurgeerd wordt, en dan na een lange pauze, als hij wat minder verhit is en de kou uitwendig en concreet is, sleept hij zich terug op knikkende benen van papier, zich eerst vasthoudend aan de tafel, dan aan de stoel, de rand van het bed, waarna hij nog nauwelijks de kracht heeft om een blok hout op te tillen.

Opnieuw sluit hij zijn strakgespannen oogleden en zakt nu weg in onverschilligheid waarin het geluid van het vuur kalmerend is en het enige gevoel dat overblijft een vreemd getintel is dat over zijn hele lichaam trekt, van zijn voetzolen tot in zijn onderrug, naar zijn nek en oren. Zijn slapen voelen strak aan, alsof er vingers overheen glijden die aan de huid trekken en die terugstrijken naar de hersenen, koele vingers die de eerste harde huidlaag wegtrekken, losmaken en laten vallen. Zijn lichaam ligt er trillend onder, naakt als dat van een slang die zijn huid aan het afwerpen is, passief en weerloos.

Hij voelt haar handen op hem, haar lichaam naast het zijne, haar haar dat op zijn borst valt. En hij krimpt ineen. 'Raak me niet aan,' zegt hij. 'Mijn huid. Kijk, mijn huid begint los te laten. De een of andere ziekte, een gif in mijn lichaam dat me zowel van binnenuit als van buitenaf aanvalt. Mijn huid barst en laat los in dunne doorzichtige repen. Je mag me niet aanraken. Mijn huid kan er niet tegen.'

Ze hoort hem en trekt zich terug, maar niet zo ver dat hij haar aanwezigheid niet meer voelt. Net buiten zijn gezichtsveld kleedt ze zich aan, achter het hoge bed. Ze trekt haar witte blouse aan, maakt de rijgkoorden aan de achterkant van haar jurk vast, vlecht haar haar tot een enkele lange vlecht die ze zal ronddraaien en onder haar kapje zal stoppen. Daarna zal ze blijven wachten tot hij hersteld is. Ze weet hoe ze moet wachten, aangezien een vrouw in een haven altijd zal wachten op haar zeeman.

'Ik denk dat het door het berenvlees komt. Ja, het moet het berenvlees zijn geweest, de lever die ik heb gegeten om me kracht te geven. Er is nog wat van over, daar in de pan. Raak het niet aan. Ik zal het naar buiten gooien als ik weer beter ben.'

Hoe kan het dat ze het niet koud heeft? Ze heeft een kersenrood jasje aangetrokken, maar dat is maar van dunne wol en de mouwen zijn opgestroopt tot aan de elleboog, met de witte linnen manchetten van haar blouse eroverheen geslagen. Haar hals verrijst bloot uit de open kraag, haar huid glad en zacht, glanzend van jeugdigheid. Ze heeft haar schoenen niet aangetrokken en één voet met een dunne kous is zichtbaar vanonder haar rok. Ze geeft hem een ingetogen halve glimlach en pakt dan haar borduurwerk op dat op de een of andere manier in haar schoot is beland. De naald is in het werk gestoken en ligt te wachten. Ze kijkt hem zijdelings aan en begint te werken, waarbij ze het borduurwerk een beetje voor zich uit houdt, om zoveel mogelijk licht van de lamp op te vangen.

'Als ik weer gezond ben, zal ik je dan de plek laten zien waar ik woon? Het is er koud en verlaten, maar tegelijkertijd ook heel mooi. Ik heb nooit de kans gehad om je een van de plaatsen te laten zien waar ik ben geweest, hoewel ik je er vaak over verteld heb. Virginia met zijn hoge bossen langs de kust waar je dagenlang doorheen kun trekken. De Azoren, waarvan de eilanden als eierschalen oprijzen uit zee, met dorpen op witte en gele stranden waar de mensen bruin zijn en zwemmen als vissen, en halskettingen maken van schelpen die mooi als edelstenen zijn. Londen met zijn rivier vol masten, Hull, Aldborrow waar ik voor het eerst naar zee ging en dat je misschien niet onbekend zal voorkomen, hoewel het een onbeduidende plaats is vergeleken met Kopenhagen met maar een paar mooie huizen en een brede vlakke kust, en aan de achterzijde een lange riviermond met een verhoogd liggend stuk land om de stad te beschermen. Maar geen van die plaatsen is zo vreemd als deze omgeving, en weet je hoe dat komt? Omdat er hier geen mensen zijn. Niemand. Niemand hier behalve wij tweeën. Ja, als ik weer voldoende hersteld ben om te kunnen lopen, als de maan helder is — ik weet nu even niet wat voor dag het is, omdat ik tijdens mijn ziekte niet meer de standen van de maan heb kunnen bijhouden — als de maan helder is en het weer helder en niet te koud, zal ik je wat van mijn strand, mijn bergen, mijn achterland laten zien, dit kleine deel van het eiland dat ik ken.

Als ik weer de kracht heb om te bewegen, dan gaan we naar buiten om te kijken naar de sterren aan de hemel die, nu het winter is, soms zo helder lijken alsof ze leven, om te kijken naar Gods glinstering aan de hemel. Ik denk dat ik snel weer sterk genoeg zal zijn om naar buiten te kunnen. Hoewel ik nu nog zwak ben, zijn de krampen en rillingen over. Ik zal wat sterke drank en een beetje van deze bouillon hier drinken, en dan zal het niet lang meer duren voordat ik weer helemaal de oude ben. Alleen mijn huid is nog wat ruw, maar ook dat symptoom begint al te minder te worden.'

Ze legt haar naaiwerk neer en komt op de rendierhuiden naast hem zitten, en haar armen zijn zacht en rond, en haar buik bolt licht op waar het jasje niet is dichtgeknoopt, haar middel stevig tegen de stof van haar jurk. Ze raakt hem niet aan vanwege de gevoeligheid van zijn huid, maar blijft rustig naast hem zitten tot hij slaapt.

Het licht straalt helder, golvende banen groen, geel en karmozijnrood die gloeien en samentrekken en vervagen langs de grote boog van de hemel boven de gestalte van de man die zo weggeteerd is, gezuiverd na zijn ziekte dat hij het gevoel heeft alsof hij naar het licht toe getrokken zou kunnen worden, ijl als een sluier. Het licht gloeit, verandert en trilt, en plotselinge stralen schieten erdoorheen, om dan net zo plotseling weer te verdwijnen. In de korte pauze daarna, de hemel vol met sterren, stiller en kleurlozer dan welk moment ook dat hij ooit heeft gekend, ziet hij haar opgeheven gezicht naast hem, zo verrukt kijkend naar de hemel dat ze zijn aanwezigheid is vergeten, haar ogen wijdopen, haar lippen een beetje van elkaar waardoor een lint van gecondenseerde adem ontsnapt, haar haar dat vanonder haar kapje half over haar rug valt als ze haar hoofd buigt. Voorzichtig alsof ook zij zou kunnen verdwijnen, strekt hij zich uit om haar haar aan te raken, om zijn vingers erdoor te halen om het nog verder los te maken, om zijn hand verder te laten bewegen en die te laten rusten in de warme holte van haar rug. Haar twee handen heeft ze tot op dat moment zacht en plat op haar gezwollen buik gelegd, maar ze verplaatst er nu een van en pakt zijn ene hand die vrij is. Zonder een woord te zeggen trekt ze die naar haar buik, naast haar eigen hand, zodat ook hij met zijn vingertoppen en handpalm het bewegen van de baby in haar buik kan voelen. Het licht flitst weer, tongen van vuur die hoog aan de hemel kronkelen en lekken, om dan op te lossen, en in het maanlicht is ze niet langer zichtbaar.

Die eerste keer dat hij terugkwam van zee nadat ze waren getrouwd, had hij erg naar haar verlangd. Hij had bijna alleen aan haar gedacht sinds ze voor het eerst land hadden gezien. Maar toen ze de Sont naderden, was er een vochtige herfstige wind opgestoken, zodat het schip langdurig moest laveren tussen de ene lage grijze oever en de andere, en een hele dag en nacht voor Helsingør moest blijven liggen. Hij had naar haar uitgekeken en gefantaseerd dat ze hun aankomst had verwacht, zelfs aan de kade had staan wachten met het water zwart en leeg voor haar. Toen ze eindelijk in de haven aankwamen, was hij als eerste aan wal. Hij sprong op de kade nog voordat de boot was aangemeerd, eerder als een man meer van haar leeftijd dan van zijn eigen leeftijd, en liep alsof hij achterna werd gezeten in de menigte mannen en vrouwen. Wat een lawaai, wat een wilde explosie van leven na zes maanden op de Groenlandse wateren, alsof de wereld was losgebarsten in fladderende delen van gestaltes en kleding, van wielen en geschreeuw, van dieren en hoofden, ogen en monden. Hij had in elk jong of tamelijk jong vrouwengezicht gekeken dat hij passeerde, op zoek naar haar gezicht, terwijl hij zich afvroeg of hij het zou zien, of ze toevallig had gehoord wanneer hij zou aankomen en naar de haven was gekomen. Terwijl het ene vrouwengezicht overging in het volgende, raakte hij even in paniek omdat hij haar beeld even was vergeten en bang was dat als ze inderdaad ineens voor hem zou staan, hij haar niet zou herkennen.

Ze was gewoon thuis. Hans was diep in gesprek met een klant, dus liep hij na een korte begroeting langs hem heen, de trap af en verder langs de vogelkooi, de opslagruimte in met zijn bruine geur van leer, en door naar het licht van de keuken. Daar was ze, bij de tafel met licht dat naar binnen stroomde vanuit de open deur achter haar. Hij had zich geen zorgen hoeven maken; het kostte hem geen enkele moeite om haar haar te herkennen, goudkleurig waar het licht op viel, haar blije lach, haar opgeheven handen die wit van het meel waren, allemaal zo vertrouwd, maar tegelijkertijd anders, een vrouw wier volle borsten en welving van haar buik haar verraadde toen ze wegliep van de tafel om hem te begroeten, haar silhouet tegen het heldere licht van het erf achter de deur.

'Ken je me niet meer, Thomas?' Ze kwam recht op hem af naar waar hij stil was blijven staan, nog in de opening van de voorraadruimte, en keek hem recht in zijn gezicht, maar dat keek niet terug zoals ze had verwacht.

'Is er iets, Thomas? Is er iets vreselijks gebeurd? Met het schip, tijdens de reis? Ik ben de afgelopen maanden zo bezorgd om je geweest.'

En toen zag hij de tranen die in haar ogen opwelden,

alsof die daar al die tijd hadden liggen wachten. Hij kreeg een plotseling gevoel van droefheid en trok haar naar zich toe, raakte haar vertrouwde huid aan, rook haar haar, de lucht van meel, een zoete pure lucht. Nee, er is niets, lief, alles is goed gegaan, het was een goede reis en we hebben veel winst gemaakt. En hij drukte haar tegen zich aan en kuste haar diep, hield het leven in haar dicht tegen zich aan, maar toch was die kus anders. Het was te snel voor hem, te plotseling, deze nieuwe kant van haar. Er zat iets mechanisch in de handeling, alsof hijzelf toekeek hoe hij zijn vrouw omhelsde, een zeeman die terugkeert naar huis en doet wat een zeeman doet, een zeeman die de vrouw kust die spoedig zijn kind zal baren, twee mensen die zich gedragen als zichzelf en toch waren ze niet zichzelf, maar gedroegen zich alleen maar zo, terwijl hun lippen uiteengingen en zich weer samenvoegden, twee mensen die speelden dat ze Thomas en Johanne waren.

## 7

Waar is ze? Hij wordt angstig wakker en graait naar haar,
denkend dat hij niet in zijn smalle bed ligt, maar in het
brede hoge bed in Kopenhagen, maar waar zijn hand zich
uitstrekt, is alleen koude lucht. Een sneeuwstorm raast
om hem heen en loeit zo hevig dat hij het gevoel heeft
alsof die bij zijn oor is, dat de storm het vacuüm van de
hut is binnengekomen, dat de tent door de toenemende
druk elk moment uit elkaar kan worden gerukt en alles
daarin verspreid zal worden; hijzelf, de huiden, splinters
hout, alles rondvliegend over het ijs. O Heer, verlos mij
van de storm! O, meisje van me, waar ben je heen gegaan?
Hij haalt diep adem en probeert korte tijd zijn gedachten
onder controle te krijgen. Als hij zijn ogen weer opent is
de storm achter de wanden afgenomen. Hij lijkt zelfs te
zijn verdwenen. De woonruimte om hem heen lijkt weer
stevig en recht, ondanks het geflikker van het lamplicht,
dat onstabiel is door de tocht die erin slaagt om door de
kieren van de deuropening heen te komen, hoe hij ook
zijn best doet om die te dichten.

De deken die hij om zijn gezicht heeft gewikkeld, is
stijf als een plank en dik besuikerd met rijp waar die de

vochtigheid van zijn uitgeademde lucht heeft opgezogen. Hij begrijpt dat hij tamelijk lang moet hebben geslapen, en toch lijkt het alsof hij zich constant bewust is geweest van de storm. Hij heeft het geraas van de wind gehoord, de trillingen ervan in zijn cel gevoeld. Hij hoeft het niet te zien om het zich voor te kunnen stellen: de witte vlokken onzichtbaar in de duisternis, rondwervelend op zo'n vreselijke derwisjachtige manier dat je niet zou kunnen zeggen of ze nu uit de lucht komen vallen of vanaf de grond omhoog worden gejaagd.

*Ik moet nog ontdekken hoe extreem het klimaat in deze streek kan zijn. Het is pas december en ik mag aannemen dat het ergste van de winter nog moet komen. Toch heb ik nooit eerder een storm zoals de laatste meegemaakt, en evenmin zo'n kou. Die kwam zo plotseling en heftig, net nadat ik weer in de tent was, dat ik er niet aan durfde te denken wat er had kunnen gebeuren als ik er buiten door overvallen zou zijn geweest. Het gebeurde zonder waarschuwing en zonder duidelijke richting, alsof de sneeuwstorm ineens was losgebarsten in de lucht boven me.*

*Er zit een dun laagje ijs op de wanden van mijn tent en op de grond onder mijn voeten, ijs dat zelfs op de randen van de schoorsteenkap hangt. Het is hier zo koud dat alles wat niet naar het vuur is gericht, bevroren is, hoe dichtbij ook. Zelfs de azijn is bevroren in het vat. Het berenvlees is hard als steen. Ik heb een groot stuk ervan naar het vuur gesleept, om er daar met een bijl in te hakken tot het splijt. Het begint pas te smelten en te bloeden totdat ik het in heet water in de pot boven het vuur heb gehangen. Ik geloof dat het alleen de lever was die me vergiftigd heeft, want in de dagen sinds mijn herstel heb ik* voorzichtig gegeten van de andere delen van het dier zonder nadelige gevolgen. Het zou een grote schande zijn om Gods gaven te verspillen, vooral omdat ik niet weet wanneer ik weer op jacht zal kunnen gaan.

Hij smelt de azijn zoals hij zijn water smelt door een hete pook uit het vuur te nemen en die in het vat te zetten. Het kraakt en stoomt als de kookpot van een tovenaar en de zure lucht stijgt op in de ruimte. Ook zijn bier is bevroren, hoewel het vat op nog geen meter van het vuur staat. Hij is teleurgesteld dat er na het ontdooien ervan alleen zuur en naar gist smakend water overblijft, alsof het bier zijn karakter is kwijtgeraakt in de kou. Maar dat is zo met alles hier, alles wat leven in zich heeft, lijkt verdoofd en zonder karakter. Het overleven zelf is een verdovende bezigheid. Hij eet zonder smaak. Hij verricht futloos zijn dagelijkse werkzaamheden, alsof hij is vergeten wat het nut ervan is. Hij schrijft in zijn journaal, en als hij het poeder van de woorden wegblaast, doet hij dat zonder emotie, en ziet alleen dat ze netjes op de bladzijde staan.

*De storm woedt nu al een paar dagen onverminderd. De onophoudelijk loeiende wind en de wetenschap van de duisternis drukken zwaar op mijn geest. Ik probeer mezelf bezig te houden en terwijl ik wacht op het mededogen van de Heer repareer ik mijn kleren en maak ik hakken voor vijftig paar schoenen. Twee of drie keer per dag buig ik me om te bidden. Ik bid tot de Heer dat Hij me zowel geestelijk als lichamelijk gezond zal houden totdat Zijn gezegende zon weer zal verschijnen, dat Hij me op deze aarde zal houden, want er zijn momenten waarop waanvoorstellingen en dromen echter voor me zijn dan de werkelijkheid.*

Hij schrijft dit op en weet dat wat hij schrijft niet de volledige waarheid is. Maar is het dagboek van een mens ooit de waarheid? Is het niet altijd een bedenksel, een idee van een mogelijke waarheid die hij gebruikt om het inzicht in zichzelf te beheersen? Hij doopt zijn pen weer in de inkt die hij warm houdt aan de rand van de stookplaats.

De waarheid is dat niet de dromen het moeilijkst te verdragen zijn in deze bevroren dagen, maar juist de afwezigheid ervan. De eenzaamheid. Hij herinnert zich hoe het was tijdens zijn ziekte, hoe ze bij hem kwam en bij hem sliep en een vertroosting voor hem was. Ze is niet meer bij hem geweest sinds de storm begon, sinds het moment waarop ze buiten naast hem stond onder de hemel.

*Kort voor het begin van deze storm aanschouwde ik een bijzonder verschijnsel van lichten aan de hemel. Ze verschenen hoog boven de noordwestelijke horizon en schoten omhoog totdat het zenit was verlicht door flitsende lichtstralen met felle kleuren zoals ik nooit eerder had gezien. Meteen nadat ze waren verdwenen en ik weer veilig in het bastion van mijn tent zat opgesloten, klonk er een aanstormend geluid en begon de wind zijn vreselijke gehuil. Aangezien ik geen andere aanduiding had gezien, begin ik me nu af te vragen of dit verschijnsel van de lichten zelf misschien geen voorbode was van het weer dat meteen daarna volgde.*

Hij schrijft aan de tafel met het licht naast hem, doopt zijn pen opnieuw in de inkt en ziet vanuit zijn ooghoek de beweging van een schaduw tegen de muur. Hij kijkt op, maar er is niets. Het effect kan alleen veroorzaakt zijn door de beweging van zijn eigen arm tegen het licht. Hij strekt zich opnieuw uit en herhaalt proefondervindelijk zijn vorige handeling, en daar is het, dezelfde vage trilling. Hij voelt een lichte aanraking op zijn hoofd, maar dat is alleen een vlok as die zich uit de schoorsteen heeft losgemaakt. Hij legt een hand tegen zijn ogen om even rust te hebben, maar trekt die weg en opent ze wijd, denkend dat hij het geritsel van haar rok in het geluid van de vlammen heeft gehoord.

Hij opent uiteindelijk zijn deur en klimt over de opgestoven sneeuw heen. Elk oppervlak weerspiegelt het maanlicht, wit en glad zoals de wind het heeft verlaten, de vorm van de tent verandert in dat van een duin. De kookketels, de twee achtergebleven sloepen, elk spoor van de walvisvaarders is gewist, zijn voetstappen van de aardbodem verdwenen. Er liep een pad dat hij had gemaakt naar een poel ver voorbij het strand, waar het water nog stroomde vanonder de gletsjer, en sinds het begin van de winter had hij nog door het ijs kunnen breken. Dat is nu helemaal verdwenen, en de oriëntatiepunten in de buurt ervan zijn nu vreemd veranderd. Hij ziet in dat hij de plek voorlopig niet meer zal kunnen vinden, maar sneeuw zal moeten smelten voor zijn drinkwater, totdat het ijs zelf zal gaan dooien. Hij haalt een klein vat en vult dat met sneeuw, terwijl hij met zijn schop tegen de harde korst slaat.

Het poollicht dat verschijnt terwijl hij werkt, komt zonder kleuren of trillingen. Hij neemt alleen een toename van het licht om hem heen waar, en als hij opkijkt ziet hij witte glanzende wolken aan de hemel. Als hoge stapelwolken, denkt hij, zacht en wollig als lammetjes, maar ze komen en gaan zonder patroon, zonder wind die hen voortdrijft. Maar voordat hij zijn ogen weer op de grond richt, ziet hij haar op nog geen twintig meter bij hem vandaan, waar het strand overgaat in het ijs.

De lucht is zo koud dat die pijn doet aan zijn neusgaten en er een laagje rijp op zijn baard ontstaat, maar toch heeft ze alleen een sjaal om haar jasje geslagen, waar ze haar handen als in een mof heeft weggestopt.

'Met de baby,' zegt ze, 'heb ik het altijd warm. Het is net een kacheltje in mij.' Ze is ook volumineus als een kachel en hij legt zijn hand op haar, zodat ze hem misschien ook kan verwarmen.

En dan loopt ze weg en hij volgt haar, waarbij een enkele lijn van nieuwe voetstappen in het maagdelijke oppervlak van de sneeuw achterblijft. Als het poollicht vervaagt, wordt ze niet meer dan een schaduw, onrustig bewegend en iets uitgerekt. Zo heeft de Heer Zijn volk door de wildernis geleid, overdag als een wolk. Hij loopt daar in een toestand van vreemde vervoering, verder over de bevroren zee, langs rotsen waarvan hij de contouren zou moeten kennen en andere rotsen die hij niet kent. Ze loopt voor hem uit, wordt vager voor zijn ogen, totdat het poollicht uiteindelijk is verdwenen alsof het er nooit was, en tegelijkertijd is ook zij verdwenen. Helemaal verdwenen, niets meer te zien, geen spoor meer van haar te bekennen, zodat hij nu de waarheid moet beseffen die hij al die tijd genegeerd heeft: dat ze er nooit is geweest. Ze is een waanvoorstelling, zijn warme en heerlijke verschijning. En als dat zo is, wie had haar dan bij hem gebracht? Zou het kunnen dat het God was, die hem troost bracht in de duisternis, of was het iemand anders? Hij wordt wakker, het lijkt alsof hij ontwaakt, en ziet waar hij is beland. Veel te ver. Nog iets langer, nog een stap en nog een stap, een verzwakking van het maanlicht, en ze had hem naar zijn dood kunnen leiden, door hem zo ver op het ijs mee te nemen, mee te lokken, uitgerekend in deze nacht, deze koude nacht waarin een dik pak sneeuw is gevallen en oriëntatie onmogelijk is. En hij had haar in zijn geest vergeleken met de Heer die de joden door de woestijn had geleid. Wat een hoogmoed, wat een blasfemie! Hij voelt hoe zijn adem koud wordt voor mijn mond en vraagt zich af of hij het wel verdient om te leven. Maar God is genadig en de maan blijft bij hem. Als hij omlaag kijkt, kan hij zijn voetstappen in de sneeuw zien, en het licht is net voldoende om behoedzaam en beschaamd de weg terug naar zijn tent te vinden.

Hij buigt eerst de ene en dan de andere stijf geworden knie op de houten vloer, vouwt zijn bevroren handen samen en bidt, smeekt om vergeving voor zijn verzoeking. Ze is niet het werk van de Heer, dat weet hij nu; ze moet niet worden verward met een teken van God. Ze is zonde en bijgeloof, de zwakheid van zijn geest. Snikkend spreekt hij zijn berouw uit, gevolgd door een dankgebed, en plechtig belooft hij dat hij zich niet meer door haar zal laten verleiden.

Zijn huid voelt pijnlijk aan, alsof hij is gegeseld door de kou. Een van de vingers van zijn rechterhand vertoont vorstblaren. Hij wrijft er met alcohol overheen, verbindt de vinger en schrijft onhandig in zijn dagboek. Hij besluit om niets te vermelden over zijn ongelukkige avontuur: *zo*

*december, volgens mijn berekening een vrijdag. Ik zal van*
*deze dag, volgend op het einde van de grote sneeuwstorm, een*
*vastendag maken, uit dankbaarheid voor mijn overleving.*

Alleen de herinnering aan haar zal hij bewaren. Herinnering kan toch geen zonde zijn, zegt hij tegen zichzelf.

Met het strenger worden van de winter begon de baby in haar te groeien. Ze leek kerngezond, dacht hij, en hij zag hoe ze overal dikker werd, zag hoe haar wangen rond en rood als appels werden. Hij moest soms lachen als hij zag hoe ze zich door de smalle deur van het huisje moest wringen.

Toen haar zwangerschap vorderde, begon haar rug pijn te doen en gingen haar enkels opzwellen en 's nachts werd ze vaak wakker en moest dan anders gaan liggen. 'Ik kan niet lekker meer liggen,' zei ze. 'Hij drukt tegen me aan.' Hij, ze wist zeker dat het een hij was, vanwege zijn onmiskenbare grootte in haar en omdat ze zo groeide. Ze pakte dan een kussen en stopte dat ergens onder haar, en een tijdje kon ze dan in die nieuwe houding rusten. Thomas Cave lag in die nachten echter wakker, keek naar haar vage contouren en luisterde naar de gelijkmatigheid van haar ademhaling. Hij wist dat ze spoedig weer wakker zou worden en dat er in het donkerste uur van zijn waakzaamheid angst zou zijn. Het kind zou zich omdraaien, waardoor ze weer wakker zou worden en naar haar buik zou grijpen, alsof het al uit haar probeerde te komen.

'Hij is te groot voor mij, Thomas. Ik droomde dat hij de lange baleinen van een walvis heeft. Ik zag de baleinen die uit Groenland zijn gekomen, lange gebogen botten waarvan jij zei dat die uit de kaak van het dier afkomstig zijn.'

'Onzin,' zei hij, en ging op zijn zij achter haar liggen, om haar met zijn lengte te omvatten. 'Je moet je niet door dergelijke gedachten laten kwellen. Je bent immers jong en gezond. Het is jammer dat je geen moeder meer hebt om je dat te vertellen.' Hij legde zijn arm om haar heen en streelde haar tot ze weer rustig was, en toch was haar angst overgeslagen op hem en herinnerde hij zich in stilte dat haar eigen moeder bij haar geboorte was gestorven.

Er woonde een vrouw in de buurt die wist van dat soort dingen. Hij voelde zich bij haar niet op zijn gemak. Ze had een mager wit gezicht en lange tanden, en haar haar was allemaal weggestopt onder een kap, alsof ze daaronder kaal was, maar ondanks haar lelijkheid sprak ze toch verstandige woorden. 'Geen walvis, kind, je hebt gewoon te veel kaas gegeten. Die botten die je voelt, dat zullen de beentjes van het jongetje zijn, want met zo'n buik kun je er zeker van zijn dat het een jongen is, en nog een flinke ook. Heb je nooit gezien hoe die zijn, de beentjes van een pasgeborene? Ze komen er gebogen uit nadat ze zo lang opgevouwen hebben gezeten, gebogen als die van een opgemaakte kip.'

Toch gaf ze haar een drankje dat ze had gebrouwen van salie en andere kruiden, en kwam de volgende dag weer terug. Opnieuw betastte ze Johannes buik, en deze keer wreef ze zowel haar buik als haar rug in met olie van viooltjes en klaprozen. Hij zag toen dat ze zachte witte handen had als die van een dame, en dat haar nagels geknipt en schoon waren. Hij kreeg daardoor meer vertrouwen in haar en besloot om met haar terug te lopen naar haar huis. Er was net een schip aangekomen bij de kade, en het was erg druk op straat door het komen en gaan van mensen. Hun gesprek werd vaak onderbroken doordat een gehaaste gestalte hen scheidde of ze opzij moesten voor een tweewielig wagentje of een boerenkar.

'Alles is toch goed met haar, nietwaar?'

'Ze is jong.'

'En sterk. U hebt haar gezien.'

'Ze ziet er sterk uit.'

Opnieuw hoopte hij dat ze hem zou geruststellen.

'Denkt u niet dat de angst alleen in haar hoofd zit? U zult dat vaak meemaken, zo'n eerste keer.'

'Let erop dat ze iedere morgen bij het wakker worden het drankje neemt dat ik haar heb gegeven. Dat zal haar sterk maken en haar helpen om de baby vast te houden tot het haar tijd is.'

'En de baby, gaat alles goed met de baby?'

Een zeeman werkte zich tussen hen door en toen ze weer naast elkaar liepen, keek hij haar kort in haar kleine bruine ogen. 'Bewaar wat peren in haar kamer. Dat zal voorkomen dat het kind te vroeg geboren wordt.'

Dat was de week van Kerstmis. Ze brachten die samen warm door, Johanne, haar vader en hijzelf. Hij had nog geld van zijn reis naar Groenland, en hij ging de stad in om cadeautjes voor hen te kopen, een lap mooie roodbruine wol voor Johanne en een stuk fraai bewerkt Corduaans leer voor Hans. Hij wist nu zeker dat hij zich bij hen op het land zou kunnen vestigen, was zelfs ongeduldig om dat na zoveel jaren te gaan doen. Nog één keer zou hij naar zee gaan, de komende zomer, en na een goede walvisvaart zou hij genoeg mee terugbrengen om hun eigen huishouden te beginnen. Johanne had een gans gebraden en in die dagen was ook zij gelukkig en leek ze haar angsten van zich af te zetten. Hij haalde zijn viool van de muur en speelde voor hen, en ook al kon ze nu niet zoals vroeger dansen op zo'n energieke manier, ze kon in haar plezier wel opstaan om met haar voeten te stampen, in haar handen te klappen en van de ene kant naar de andere kant te zwaaien, zodat haar losgeraakte haar over haar rug golfde. Zonder een woord te zeggen pakte Hans zijn stokken op en hobbelde weg naar bed, maar hij speelde door en was trots op haar, zo prachtig in haar omvangrijkheid dat ze een boegbeeld had kunnen zijn dat de golven zou breken en mannen naar zee zou leiden.

*Kerstmis. Om dat te vieren heb ik het laatste stuk van mijn opgehangen voorraad hertenvlees gebraden met pruimen. Ik heb mezelf een schenkkan met wijn toegestaan en zeven duim tabak. Het was een milde dag, God zij dank, en ik heb mijn dagelijkse karweitjes niet gedaan, maar vorstelijk gegeten terwijl ik als een heer lang heb getafeld. Rond het middaguur ging ik naar buiten om een wandeling te maken. Korte tijd zag ik een vage witte gloed aan de horizon waardoor ik weet dat die prachtige zon ver naar het zuiden de dag verlicht. Ik put er troost uit dat december zijn einde nadert en ik het diepste punt van deze lange nacht nu heb gehad.*

Krachtig, zwaar voedsel was het, jagersvoedsel, het vlees een beetje machtig, maar de pruimen en kruiden en het lange koken maakten dat het niet slecht was. Soms knort zijn maag, als het niet van de honger is dan wel van de behoefte om eens iets anders te eten. De plantjes die hij had verzameld, zijn goed gebleven, maar nu is er niets anders meer van over dan wat droge en breekbare strootjes. Alles wat hij heeft is gedroogd, gezouten, geconserveerd, ranzig. Het doet hem bijna pijn om zich iets groens voor te stellen, de eerste hap uit een appel, of te denken aan de versheid van melk, boter, graskaas, wit voedsel zacht als vrouwen.

Johanne dronk veel melk. Ze had de melkachtige adem van een kind, met een zweem van wit op haar bovenlip. En hij bracht suikergoed voor haar mee alsof ze een kind was, exotisch voedsel, gebak waarin kaneel zat. Ze hoefde maar te zeggen welke lekkernij ze wilde, en hij ging ernaar op zoek in de stad. Hij stond zichzelf iets extra's toe voor luxe dingen van het geld dat hij apart had gelegd.

'Deze heb ik van een zeeman uit Portugal, gekonfijte pruimen. Dit moeten de beste van heel Europa zijn.'

Het fruit had het formaat van het ei van een bantammer, groen als een namaakjuweel en glinsterend van de suiker. Ze at het aandachtig, genietend van de ongewone smaak. 'Je moet dat niet doen, Thomas Cave. Niet alleen mest je me zo vet, maar je maakt ook nog een verwende dame van me.'

Maar het geven van die dingen aan haar was als het geven van iets lekkers aan een kind. Hij vond het onweerstaanbaar hoe ze straalde bij een traktatie. Haar ogen lichtten op en haar wangen werden nog rozer, zo vertederend jong en rond onder haar kapje.

In januari van dat jaar was de hele Sont bedekt met ijs en het stadsbestuur betaalde rondtrekkende mannen om een vaargeul te hakken over een lengte van meer dan een zeemijl, van de rand van het ijs tot aan de stad. Daardoorheen kwam een moedige Nederlandse boot beladen met kostbare goederen uit Spanje, kunstig smeedwerk en versierd leer, evenals voedsel en wijn. Dit schip werd het middelpunt van een grote markt op het ijs waar alle mogelijke venters naartoe kwamen, en ook de boeren uit de streek voerden hun producten aan met karren en sleeën. Hij vond het een mooie en gedenkwaardige aanblik, de vrolijke menigte die zich vanaf de kade verspreidde over de bevroren zee, eenzame figuurtjes van schaatsers in de vlakke witte verte, de hoge gebouwen van de stad erachter, het statische schip midden tussen de menigte, zeilen gestreken, masten kaal, hoog als een huis boven het ijs.

'Ga deze keer ook eens mee naar buiten, Johanne. Het zal je goed doen.'

Al twee weken had ze nauwelijks het huis verlaten. Ze zei dat ze hoofdpijn had en dat ze een gebonk in haar voelde, en dat haar benen pijn deden als ze stond, ook al had de oude vrouw haar met haar vingers gemasseerd om de pijn te verlichten, en had ze haar drankjes gegeven. 'Nee, ik ga niet met je mee,' zei ze. 'Niet in zo'n menigte. Maar ga jij maar, ga en vertel me er daarna alles over.'

'Wat zal ik dan voor je meenemen?'

'Hoe kan ik dat zeggen als ik niet weet wat er allemaal is?'

'Geef me een aanwijzing, lief, wat je het liefst zou willen hebben. Het schip komt uit Spanje, zie je. Een land van zon en goud, het rijkste land van de wereld.'

Johanne lachte om zijn gretigheid en keek om zich heen in de eenvoudige kamer, de witgekalkte muren, de houten vloer, het vierkante vensterloze raam met het luik er half overheen en de grijze kou van de winter buiten.

'Breng dan maar een stukje van die zon mee!'

Dus ging hij alleen en genoot van het schouwspel. De zee was helemaal tot aan Zweden bevroren, en daarvandaan kwamen sleden, getrokken door taaie ruwharige pony's die veel te klein leken voor het gewicht achter hen, voor de menners die grote mannen in wolfshuiden waren met hun ladingen van bont, vlees en hout. Er waren ook andere sleden bestuurd door mannen en vrouwen in kleurige en met bont afgezette vilten jassen die benen jachtmessen en vishaken verkochten. Er waren komforen waar mannen bij stonden om zich inwendig te verwarmen met stevige borrels, en hij stopte bij een ervan en ging met glanzende ogen verder om brood en geroosterd vlees te kopen waarmee hij de plotselinge hevige honger bevredigde die hem overviel.

Dicht onder het schip zag hij een menigte die zich had verzameld rond drie Spaanse zeelieden die op een fluit en trommel speelden, terwijl vóór hen een klein wezen danste. Eerst dacht hij dat het een klein kind was, alleen tenger en lichtvoetig en niet zo flink als de kleuters die hij kende, een fijngebouwd meisje in een groenzijden jurkje dat met gehandschoende handjes in de lucht zwaaide en van het ene bontlaarsje op het andere hupte. Toen het wezen zich omdraaide naar het geluid van de trom zag hij dat de gezichtsuitdrukking vreemd onbewogen was, en de blauwe ogen, ondanks de lenige bewegingen van het lijfje, uitdrukkingsloos en niet één keer knipperden. Even bleef hij kijken zonder het te begrijpen en toen, op een kennelijk signaal van de fluit, bracht het wezen de handjes naar het hoofd alsof het zijn hoofd eraf wilde tillen. Eén, twee, een roffel van de trom, en het blauwogige kindergezicht ging eraf. Daaronder zat een ander hoofd, met het gerimpelde, bruine, breed grijnzende gezicht van een aap. De sierlijke danseres was helemaal geen kind, maar een aap die het hoofd van een levensgrote pop droeg. Hij was zo onthutst door die aanblik dat hij plotseling blij was dat Johanne niet was meegekomen en het ook had gezien. Bij de volgende klanken van de fluit maakte de aap een buiging naar rechts, naar links, naar de menigte vóór hem, en pakte een met rode stof beklede doos om daarmee rond te gaan. Thomas Cave stak een munt uit en toen het dier dichtbij was vond hij dat de grijns eerder een grimas was. Hij zag ook hoe de arm van de aap trilde en zijn tanden klapperden, en hij voelde medelijden met het dier omdat het zo'n tegennatuurlijk leven had en zo ver verwijderd was van zijn eigen leefomgeving en klimaat. Wat gaf mensen het recht om een in vrijheid levend wezen mee te nemen en dat te laten optreden en uit te dossen als een mens? Toen hij verderging was hij ineens ontnuchterd, waardoor hij de kou begon te voelen en hij naar huis werd gedreven.

Het enige wat hij voor Johanne kocht was een sinaasappel. Hij had die wel met zorg uitgekozen uit een hoge berg en de vrucht was zo groot dat die zijn hand vulde.

Hij nam de sinaasappel mee naar huis en gaf hem aan haar, en drie dagen lang koesterde ze haar stukje van de zon op de stenen vensterbank totdat ze het fruit niet langer kon weerstaan. Ze pakte de sinaasappel, pelde hem met onhandige vingers en trok de vrucht open, waarop de indringende lucht zich verspreidde door de kamer.

# 8

Opnieuw waart ze om hem heen. In deze periode van moeilijke stille dagen heeft hij zijn waakzaamheid laten varen en zichzelf toegestaan om aan haar te denken, en zijn gedachten hebben haar nu teruggebracht. Ook al ziet hij haar niet, hij voelt haar aanwezigheid, het trage geritsel van haar bewegingen om hem heen, haar zachte ademhaling. 'O, Johanne, wie had kunnen denken dat het zo zou zijn? De kou is totaal niet zoals ik me had voorgesteld. De gewaarwording ervan als ik naar buiten loop, hoe de kou me diep in mijn maag treft, hoe mijn spieren pijn lijken te doen alsof ik word afgeranseld, het brandende gevoel, alsof God mijn zenuwen en pezen heeft gemaakt om te reageren op vuur maar niet op een dergelijke kou. Zelfs hier in de tent, waar ik op een keer een stuk metaal aanraakte dat zo koud was dat het brandde en als vogellijm aan mijn vingers vastplakte. Ik moest het verwarmen om het los te krijgen, of mijn huid zou eraf zijn gescheurd. Een andere keer bracht ik te haastig een aardewerken kom naar mijn lippen om eruit te drinken, waarop die bleef vastplakken aan mijn baard en lippen. Het is heviger dan wat ik had kunnen verwachten, maar tegelijkertijd ook draaglijker. Het verbaast me hoe de tijd verstrijkt en het vuur uitdooft en weer wordt aangewakkerd, maar ik vorm mijn dag tussen slaap en werk, maaltijden en gebeden en blijf volharden. Ik eet weinig, slaap veel. Ik word als een dier dat zich verbergt in de winter en slaapt totdat het lente wordt.'

Onder het gewicht van zijn vachten heeft hij gemeenschap met haar. Hij kent de hardheid van haar zwangere buik. Dat had hem in het begin verbaasd, die hardheid. Haar buik is strak als een gespannen spier, heeft niet de zachtheid van een vrouw. En daarom moet hij haar anders nemen en moet zij op hem zitten. Langzaam doet ze dat, gespannen, hard, sterk, als een schip dat een golf neemt. Haar gezicht is vreemd en haar ogen zijn gesloten en haar borsten vol als zeilen, de aderen erin zichtbaar, de tepels donker, hard en opgericht, en hij sluit eveneens zijn ogen en heeft geen gedachten in de branding.

Daarna zijn er weer woorden, ontspannen woorden.

'Herinner jij je nog de laatste winter, Johanne, hoe koud we het toen vonden? Hoe we tegen elkaar zeiden dat het een van de koudste winters was die we ooit hadden meegemaakt? De ene dag na de andere blies er een bijtende noordoostelijke wind, met de hemel loodgrijs en vochtig boven ons. In de straten van de stad lag het ijs laag op laag, zodat op straat lopen hetzelfde was als lopen op onregelmatig bubbelig glas. Paarden glibberden over de straat, en mensen vielen en braken hun ledematen. Het werd erger met het verstrijken van de weken, als het even had gedooid of als er weer sneeuw was gevallen, en in elke steeg zorgde het weggegooide water uit huishoudpotten voor gevaarlijke plekken of valkuilen, bedekt met een dun laagje ijs. Jij bleef natuurlijk het grootste deel van de tijd binnen. Je droeg dat rode jasje dat je zo mooi vond, met alleen de bovenste knopen dicht omdat je nu zo volumineus was, met soms een donkere sjaal eroverheen, en een zware donkere wollen rok. Je zat daar vaak met je gezwollen enkels op een kruk te naaien, of je maakte mooie stukken kant. Ik herinner me dat ik dacht hoe mooi je verstildheid was, de enorme rust die je uitstraalde. Toch waren er momenten waarop je rilde en gepijnigd keek en klaagde over tintelingen in je vingers die het moeilijk voor je maakten om de houten kantklosjes te hanteren.'

Hij spreekt in gedachten tegen haar, zonder de stilte te verbreken. Hij zou dat niet durven, alsof hij weet dat de hardheid van zijn stem haar zou verdrijven. Hij is zich bewust van haar onwerkelijkheid, zelfs terwijl de woorden in hem opkomen.

'Ik denk dat ik nooit eerder zo intensief heb geleefd, niet meer sinds ik een kind was in het huis waarover ik je nooit heb verteld, in een dorp op twee dagen lopen van de zee. Alleen realiseerde ik me dat niet toen ik jong was. Ik verlangde ernaar om weg te gaan en mijn vader stuurde me op mijn twaalfde weg om de zee te leren kennen met behulp van een neef, de zoon van zijn tante, in de grote haven aan de kust. In zekere zin begon mijn leven daar echt, mijn leven als mijzelf, zoals ik het verhaal ervan zou vertellen. Niets over het dorp, niets over het kleine kind dat ik ooit was. Ik heb weinig herinneringen aan hem, heb alleen het beeld van een ernstige jongen die een lieve moeder had met nog kleinere kinderen dan hijzelf om haar heen, totdat ze op een dag dood ging en er niet meer was, en hem met zijn vader en vijf broertjes achterliet. Ik geloof niet dat ik je nog meer kan vertellen over mijn kinderjaren.'

Hij is verbaasd over zichzelf. Hij wordt helemaal meegesleept door zijn eigen woorden. In deze eenzaamheid is hij zich meer gaan verdiepen in zichzelf en in zijn verleden, op een manier zoals hij dat nooit eerder heeft gedaan. Hij is altijd een zwijgzame, beheerste man geweest, maar geen denker. Hij heeft altijd een leven vol actie geleid, omringd door andere mannen, en hij heeft zijn belangstelling altijd gericht op materiële zaken. Zijn levensbeschouwing is altijd geweest om te handelen, te werken en de techniek van wat hij doet te begrijpen, niet om zich over te geven aan beelden en dromen en onbetrouwbare herinneringen. Nu heeft hij er bijna een schuldgevoel over dat ze hem zover heeft gekregen om dit te doen, alsof het een zonde is.

Hij opent zijn ogen. Hij had ze gesloten om de beelden door zijn hoofd te laten gaan. Hij dwingt zichzelf om overeind te komen. Alsof dan, als hij zich gedraagt als een man die aan een gewone dag begint, de zon vanzelf zou opkomen, de wereld zou smelten en buiten tot leven zou komen, het riviertje weer over het strand zou stromen en de zee zou gaan opzwellen en bewegen. Maar voorlopig lijkt zijn wil bevroren. Hij lijkt alleen de kracht te hebben om zich om te draaien op zijn rug en omhoog te staren naar het ruwhouten plafond. Hij voelt zijn passiviteit op hem drukken als een gewicht, als de vachten die hem neerdrukken. Zijn aandacht wordt getrokken door een sissend geluid in het vuur. Hij kijkt niet maar stelt zich voor hoe ze daar bij het vuur op de stoel zit te kantklossen. Het is niet eerder in hem opgekomen maar misschien, nu hij eraan denkt, heeft ze inderdaad iets van zijn moeder.

'Het was zo totaal anders, die winter toen ik bij jou was en de Sont bevroor. De kou die we toen hadden was zo totaal anders dan hier. Hier is kou een volkomen andere ervaring.'

Zijn gedachten draaien rond, herhalen zich. Wat is hij aan het doen, praten met iemand die er niet is? Hij is moe. Hij kruipt in elkaar onder de vachten op zijn bed. Het is niet de kou die hij nu het meest vreest, maar de traagheid van zijn bestaan. Het zou kunnen dat de traagheid zelf het gevolg is van de kou en de constante duisternis en van zijn beperkte voorraad voedsel, maar wat dodelijk is voor zijn ziel is de inactiviteit, futloosheid, sloomheid. Hij is altijd moe, zweeft tussen waken en slapen, zijn hersenen zijn nergens op geconcentreerd, zijn persoonlijkheid raakt bevroren, aanwezig maar dik, ondoorzichtig als ijs. Door te praten tegen Johanne weet hij weer wie hij is. Was. Opnieuw ziet hij haar, afwezig starend in het vuur met de cirkel van kant vergeten op haar ronde buik.

'Heb ik je verteld, Johanne, over die keer toen ik naar de Nieuwe Wereld ging? We zeilden langs de mond van een grote rivier die zo breed was dat het wel een zee leek, en op de oevers was een oerwoud dat zo dicht was dat een man er niet in kon gaan. Toen ik hier een gesprek had met kapitein Duke – wat lijkt dat kort geleden, hoewel het in werkelijkheid vele maanden geleden was, maar die maanden zijn tijdloos verstreken — had hij het over diezelfde rivier. Hij vertelde over een jongen die daar was achtergelaten door Raleigh, niet waar mijn schip toen voer, maar veel verder landinwaarts aan de oever van de rivier. Ik denk aan hem in deze dagen doordat onze situatie een zekere overeenkomst heeft, maar tegelijkertijd totaal anders is. Ik vraag me af of het schip ooit nog terug is gegaan, of hij toen nog in leven was, en of iemand er ooit achter is gekomen wat er van hem is geworden.'

Het is zoiets nietigs, het lot van een jongen aan de oever van die grote bruine rivier en de enormiteit van het oerwoud. Hij heeft geprobeerd zich voor te stellen hoe de jongen alleen in die zware groene warmte liep. Hij fantaseert over een onmogelijke wirwar van vegetatie, een zware en rottende lucht, een bruisende overdaad aan leven, maar hij kan zich daar de jongen niet in voorstellen. De jongen is onwezenlijk voor hem, een geest, een zwevend droombeeld tegenover de wezenlijkheid van het oerwoud.

Op dat moment hoort hij een groot gekraak, als een geweerschot dat weergalmt over het eiland. Het is het geluid van krakend ijs: telkens als de temperatuur scherp daalt, weergalmt het daar door het krimpen van het ijs.

En wie is hij, Thomas Cave? Een man uit Suffolk verloren in de lege enormiteit van het Noorden. Een man met ervaring, in tegenstelling tot die jongen, met een leven achter zich. Een volwassen man zonder vrouw of kinderen. Een doodse stakerige man, verdroogd en hol vanbinnen. Een man die houten hakken voor schoenen maakt, die zeeman was, die viool speelde. Een man die zijn gedachten in gang laat zetten door een geest, en tegen haar praat alsof ze net zo echt is als hijzelf.

Hij schreeuwt het plotseling uit van angst. 'Johanne, waarom kom je bij me? Ben je met de lichten gekomen? Ik heb mannen horen zeggen dat er zielen zijn in de lichten, de zielen van de ongeborenen, maar misschien ook die van de doden. Of kom je uit mijn geest? Komt het doordat ik zo verbijsterd ben door de kou?'

Is dit soms het begin? Valt een mens soms op deze manier ten prooi aan wat er in zijn geest leeft, als de waanzin en de scheurbuik hem overweldigen? Maar Thomas Cave is altijd een man geweest die overal een oplossing voor had, rationeel en praktisch als hij is. Hij gaat het niet zo gemakkelijk opgeven.

Een man is wat hij doet, God is zijn getuige van zijn daden. Een man die niets doet, is niets. Dus zal hij naar buiten gaan. Hij gaat jagen. Hij zal zich niet laten pakken door haar.

Er zijn zeehondenhuiden in de buitentent, geschraapt en gedroogd, bevroren tot een stapel stijve planken. Hij breekt er een los en brengt die naar binnen, en als hij die heeft ontdooid en zacht gemaakt, snijdt hij een masker van de huid. Hij bevestigt die om zijn hoofd, snijdt smalle openingen voor zijn ogen en een rond gat voor zijn mond, en bindt het dan vast met touw. Hij wikkelt een wollen sjaal om zijn hals en hoofd, zet zijn muts op en slaat een grote wolfshuid over dat alles heen. Zijn handen stopt hij in vingerloze wollen handschoenen met daaroverheen onhandige wanten van stukken huid. Als hij naar buiten stapt, is hij uiterlijk nog nauwelijks menselijk, een traag log dier met een musket over zijn schouder.

Al drie achtereenvolgende nachten is er een grote witte kring om de maan te zien. Het licht is zo helder dat hij een schaduw als van een Neanderthaler op de sneeuw werpt. Hij zoekt naar andere bewegende vormen in de stilte. Minutenlang kijkt hij naar een rechtovereind staande rots om te zien of die zal gaan bewegen, naar een vat dat op het strand is achtergebleven en bedekt is met sneeuw, waardoor het in de verte lijkt op een beer die op de loer ligt. Hij onderzoekt schaduwen, speurt de witte grond af naar pootafdrukken. Hij denkt dat er beren rondzwerven, omdat hij de afgelopen paar dagen gesnuffel meent te hebben gehoord bij de wanden van de tent, hoewel hij geen beren heeft gezien. Maar óf hij heeft het zich verbeeld óf de wind heeft hun sporen weggeblazen, want nu zijn er alleen nog de afdrukken van zijn eigen voeten in de brede sneeuwlaarzen, die in een kronkelspoor naar de berg en dan terug langs het ijs lopen. Hij keert pas terug als zijn vingertoppen beginnen te branden door de vorst in hun handschoenen. Zijn maag doet pijn, maar hij weet niet of dat nu komt door de kou of door het verlangen naar vers vlees.

# 9

Op sommige dagen is de kou zelfs in zijn kamer zo snij-dend, dat hij stenen moet verwarmen in het vuur, die met een doek moet omwikkelen en tegen de onderkant van zijn rug moet leggen, om te voorkomen dat hij zal bevrie-zen. Hij zit onbeweeglijk ineengedoken binnen die paar vierkante meter voor de stookplaats waar het nog warm is, zijn bewustzijn zo afgestompt dat hij niet eens meer de uren kan tellen.

En toch handhaaft hij zijn discipline.

Telkens als de temperatuur iets stijgt, net voldoende om de verdoofdheid of de pijn te laten verdwijnen, dwingt hij zichzelf om naar buiten te gaan. Hij pakt zijn huiden en een musket en gaat jagen. Zelfs als er geen kans is op een prooi, zal het uitvoeren van deze activiteit hem hel-pen om in leven te blijven. En als er wel een prooi is, dan zal hij die te pakken krijgen.

Bij zijn scheepsmaten stond hij bekend om zijn vaar-digheid bij het jagen, die hij zich had eigen gemaakt in zijn jeugd op het platteland. Hij had daar geleerd hoe hij sporen kon volgen en vallen moest zetten, nog voor hij ooit de zee had gezien. Hij is trots op zijn vaardigheid en was altijd een van de eersten die aan wal gingen op jacht naar vlees, of dat nu aan deze Groenlandse kusten was of aan de warme kusten van Afrika of Amerika. Hij heeft antilopen en krokodillen geschoten, hij heeft groene parkieten met vogellijm gevangen, heeft strikken gezet voor apen en hagedissen en nog andere onbekende bijzondere dieren gevangen waarvan hij dacht dat die de mensen thuis zeker zouden verbazen. En toch is het allemaal hetzelfde, of je nu een konijn vangt of een gordeldier. Het komt neer op het instinct: oog hebben voor het patroon van een beweging van een dier, de spanning op de draad van een strik. Instinct en geduld.

Eind januari is er een schemering die uren achtereen duurt. Hij tuurt ernaar, zoekt naar bewegingen van schaduwen, naar aanwijzingen van leven. De minuten verstrijken en zijn geest lijkt ertussen te belanden in andere tijden. Hij heeft zo vaak moeten wachten in zijn leven: het wachten in de haven, het wachten op een schip, het wachten tijdens windstilten, het wachten op voldoende wind, het wachten op het kind. Hij kijkt uit naar de lange schemering en het lijkt alsof hij al zijn hele leven wacht. Er was het wachten in een Engelse winter als hij eropuit ging met zijn katapult om te jagen op de duiven die in de bomen op de meent voor de rivier sliepen. Heel vroeg trok hij er met zijn broer in de ochtendnevel op uit, en tijdens dat lange kwetsbare moment net voor het aanbreken van de dag wachtte hij zijn kans af. Het moet jaren geleden zijn dat hij daar voor het laatst aan heeft gedacht. Een schemering zoals deze, maar toch anders, want daar wist hij dat het snel zou veranderen; de vogels zouden gaan zingen en aan de hemel zouden plotseling kleuren verschijnen. Hier in het Noorden is geen afwisseling: het kwetsbare moment strekt zich uit tot aan de grens van zijn uithoudingsvermogen. Hij slaat zijn kleding dichter om zich heen tegen de kou, ploetert verder door de sneeuw, zoekt, controleert vallen, gaat verder. Soms volgt hij lang het spoor van een beer en moet dan terugkeren, ontmoedigd door de afstand die het dier blijkt af te leggen, de snelheid waarmee het zich lijkt voort te bewegen. Toch is hij altijd terug voor het weer donker wordt, maar de schemering duurt steeds langer, zodat het een spookachtige soort dag begint te worden.

*Telkens als het mogelijk is om te gaan jagen, pak ik het musket. Ik heb geen succes meer gehad sinds die grote beer voor Kerstmis, meer dan een maand geleden, hoewel ik er een aantal heb waargenomen. Mijn situatie is nog niet wanhopig, hoewel God geve het dat ik spoedig resultaat zal hebben.*

*Omdat het einde van januari nadert, en ik volgens mijn berekening dus halverwege mijn verblijf hier ben, heb ik de afgelopen paar dagen een grondige inventaris opgemaakt van de voorraden die ik nog heb en van hun toestand. Ik heb nog een redelijke hoeveelheid gedroogde voorraden, biscuit, suiker, kaas. Alle bier en wijn zijn bevroren in hun vaten, hoewel de wijn tenminste nog redelijk smaakt na het ontdooien. Ik heb er alle vertrouwen in dat als er vlees zal komen, ik voldoende voorraad zal hebben tot de zomer. Niettemin heb ik de woensdag ingesteld als de tweede dag van de week waarop ik zal vasten, waarbij ik alleen op water en biscuit zal leven, naast de vrijdag die ik al had ingesteld.*

Hij blijft uiterst nauwgezet in zijn rapportage van de

materiële dingen van zijn bestaan. Hij doet dat omdat hij denkt dat dit Marmaduke zal interesseren – de praktische dingen van de dag, de fysieke dingen van het leven – maar ook, en dat weet hij, al zal hij dat niet in woorden uitdrukken, omdat het schrijven van dit journaal hem geestelijk gezond houdt; elk detail dat hij opschrijft, elke zak suiker die hij telt, als evenwicht voor zijn verbeeldingskracht. Op de bladzijden achter in het journaal heeft hij de geïnventariseerde voorraden vermeld en er lijnen voor getrokken, zodat hij in de kolommen zo netjes als een huishoudster die verantwoording moet afleggen, de verbruikte hoeveelheden kan noteren. Dit is nu deel gaan uitmaken van de voorbereiding van elke kleine maaltijd: hij noteert eerst in zijn boek wat hij precies gebruikt; een toevoeging aan zijn strakke regels, zoals het opzeggen van zijn gebeden, het lezen in zijn bijbel, het maken van een volgend paar houten hakken.

'Je bent een methodisch mens, Thomas, ik heb nooit eerder iemand gekend die zo methodisch was als jij.' Johanne had hem gadegeslagen toen hij die eerste keer zijn spullen naar binnen bracht en ze uitpakte in de kamer boven de werkplaats die hun kamer zou worden. Hij legde zijn bijbel op de tafel voor het raam, stopte zijn kleren netjes opgevouwen in de kist aan het voeteneind van het bed, bevestigde pinnen aan de muur waaraan hij zijn viool wilde hangen. Hij was zich bewust van de manier waarop ze naar hem keek met een soort teder respect, wat maakte dat hij zich wijzer voelde dan hij was.

'Dat ontstaat als je zoveel jaren op zee heb doorge-

bracht,' zei hij, 'waarbij je maar een paar dingen mee-
neemt die echt van jou zijn. Dat maakt dat je er netjes
mee omgaat.'

Het was niet iets bijzonders wat hij had gezegd, maar
kennelijk vond zij van wel. Misschien kwam het gedeeltelijk wel daardoor dat hij het zo fijn vond om bij haar te
zijn, dat ze hem identiteit gaf. Ze lachte om zijn grapjes,
beschouwde zijn gedachten als wijsheden, raakte hem aan
en maakte zijn lichaam levendiger.

Haar ademhaling is een warme luchtstroom in zijn hals.

'Wat een methodisch mens ben jij, Thomas Cave.'

Hij buigt zich over zijn journaal, een schrijfmonnik
die zich verzet tegen verleiding. Niet meer dan een kleine
opening in zijn gedachten en hij heeft haar al binnengela-
ten.

*Ik was verontrust toen ik vanmorgen mijn kruithoorn
wilde vullen en toen ontdekte dat een van de kruitzakken die
ik had opgeslagen, op de een of andere manier vochtig was
geworden en nu bevroren was. Ik heb de zak zo dicht bij het
vuur gebracht als ik maar durfde, en de inhoud ervan uitgespreid om te laten drogen.*

'Ik zou willen, lief, dat je niet over mijn schouder mee-
las.'

'Maar Thomas, je weet toch dat ik niet kan lezen.'

'In dat geval moet je toch zien dat je door zo dicht
tegen me aan te leunen, in mijn licht staat?'

Hij draait zich niet om om haar te zien, maar kijkt
strak voor zich uit, zijn afgemeten woorden gesproken
met strakke lippen. Hij is altijd een man geweest die zijn

gevoelens voor zich hield. Dit is niet Johanne, zegt hij bij zichzelf, dit is een geestverschijning. Hij zou tegen haar tekeer kunnen gaan als hij dat zou willen zonder dat hij zich daarover schuldig hoeft te voelen. Ging ze maar weg. Hij wil dat ze voorgoed weggaat, uit zijn licht en uit zijn hoofd. Hij duwt de stoel naar achteren en die knarst als de boosheid die in hem zit opgesloten. Voor de tweede keer die dag slaat hij zijn vachten om, pakt het musket, de kruithoorn en de lading, en gaat de koude schemering in. Hij zal niet omkijken, hoewel hij kan voelen hoe ze hem nakijkt. Wat een gloed is er nu aan de hemel, aanduidingen van kleuren van de dageraad, zodat hij nauwelijks kan geloven dat de zon niet binnen een paar minuten boven de horizon zal verschijnen. Toch weet hij dat dit niet zal gebeuren. Al dagen kwelt dit licht hem en werkt het op zijn zenuwen.

Hij besluit dat hij de berg gaat beklimmen achter het strand waar hij voor het laatst de zon heeft gezien. Elke dag dat de omstandigheden het toelaten, zal hij dat nu gaan doen, die berg beklimmen of in elk geval tot aan het uitkijkpunt gaan om getuige te zijn van het eerste moment waarop de zon zal terugkeren. Het was altijd al een steile klim, maar nu is het nog moeilijker doordat zijn oude pad helemaal is verdwenen en hij zich moet zien te herinneren hoe hij toen is gelopen om het pad opnieuw te maken. Als hij bijna bij de top is pauzeert hij even om op adem te komen en kijkt het pad af dat hij is gegaan. De helling ziet er glad uit in het vlakke licht, steil en volmaakt, met een lila glinstering op het oppervlak. Het lijkt alsof hij als een spelend kind zo naar beneden zou kunnen suizen door zich af te zetten met zijn armen en op zijn rug naar beneden te glijden, om uiteindelijk langzaam tot stilstand te komen op het strand beneden. Hij volgt de helling met zijn ogen, langs de weg die hij is gekomen, en ziet plotseling een beweging beneden op het pad dat hij net heeft gemaakt. Hij ziet alleen die beweging, want in de schemering kan hij niet de vorm onderscheiden, die niet meer is dan een vlek op de sneeuw.

Hij klimt verder, draait zich nog eens om. De bleke vorm volgt zijn pad, maar nu dichterbij. Het enige wat hij hoeft te doen is het musket te laden en te wachten totdat het dier binnen schootsafstand is. Het beweegt zich soepel en krijgt langzaam gestalte als het dichterbij komt, de berg op met gemakkelijke lichte stappen, achter hem aan. Het lijkt een grote beer, hoewel hij uit ervaring weet hoe dik de vacht van die Groenlandse beren is, hoeveel groter ze lijken dan ze echt zijn als het aankomt op vlees en botten. Hij houdt zijn adem in als het dier nadert, terwijl de wind fijne korrels sneeuw in zijn gezicht blaast, en vraagt zich af of de beer op een bepaald moment zal besluiten dat zijn sporen te vers zijn, achterdochtig zal worden en zal gaan rondcirkelen. Heer, laat het niet zo zijn. Laat het beest dichterbij komen... De beer stopt, staat even op zijn achterpoten, verontrust als een mens, en snuift de lucht op. Thomas Cave vuurt het musket af, recht op zijn kop. En het dier laat een grote brul horen en wordt naar achteren geworpen, de steile berghelling af, telkens over de kop rollend, en het blijft brullen terwijl het valt. Hij is helemaal verbluft door het geluid, terwijl hij er hoog boven staat in het landschap. Het is ook zo lang geleden sinds hij hier een geluid van een levend wezen heeft gehoord, en nog wel een geluid dat op zo'n ijzingwekkende manier doet denken aan vlees en bloed. Het dier rolt maar door, tot het uiteindelijk tot stilstand komt tegen een rots.

Hij volgt voorzichtig, herlaadt het geweer, vuurt opnieuw van dichtbij. Het gebrul gaat over in gekerm en uiteindelijk klinkt er alleen nog een nat gerochel vanuit de keel van het dier. Hij loopt erheen en gaat boven de beer staan, zelf ook lijkend op een beer in zijn vachten. Diep vanbinnen is hij warm, uitgelaten over de vangst. Een groot beest dat groter is dan hijzelf, vlees voor vele weken, als hij het thuis kan krijgen. Zie je, vrouw, wat een man allemaal kan. Hier, zelfs hier, waar een man zo klein is, zo nietig op Gods bevroren aarde.

# 10

'Vader zegt dat je niet meer naar zee hoeft als het kind eenmaal is geboren. Hij wil graag dat je bij hem komt werken. Hij zegt dat je goede handen hebt.'

'De zee hoort bij mij. Ik zal het komende seizoen nog gaan, maar dan kom ik terug.'

'Toen je schip vorig jaar maar niet kwam, maakte ik me grote zorgen om je. Wil je niet bij ons blijven?'

'Er is meer geld te verdienen met een walvisvaart dan je vader in zijn hele leven zou kunnen verdienen. Ik ga nog één keer terug, misschien twee keer, totdat we hebben wat we nodig hebben. Maar maak je geen zorgen, ik kom bij je terug. Misschien, als we veel walvissen vangen en het seizoen goed is, dat we een nieuw huis kunnen laten bouwen, een groter huis dan dit, ergens anders, maar wel zo dichtbij dat Hans zijn werkplaats kan verplaatsen en de mensen toch nog zullen weten waar ze hem kunnen vinden.'

'Dat zou ik wel willen. Maar ik zou graag in de buurt van de Strand willen blijven.'

'We zouden ook kunnen verhuizen naar het eiland. Ze bouwen daar veel nieuwe huizen. Dat heb ik gezien toen ik daar pasgeleden aan het rondwandelen was.'

'Een huis met houtsnijwerk rondom de deur.'

'Mooi glas in alle ramen.'

'Met meubilair van eikenhout en schilderijen aan de muren.'

'Een betegelde, zwart-wit geruite vloer.'

'En een kleed om onze voeten te warmen, in dezelfde lijn neergelegd.'

'En jij krijgt een mooie nieuwe jurk, of jurken, veel jurken, en witte schorten, en kragen van het fijnste witte kant.'

'En kapjes, alsjeblieft, en linten, en zijden garen voor mijn borduurwerk!'

'En sinaasappels om te eten wanneer je maar wilt.'

'Ik zal er dan een paar drogen en ze in onze kamers neerleggen om die te laten geuren.'

'En onze kinderen zullen in en uit rennen door de open deur en de schepen zien en ons vertellen wie er is gekomen en waarvandaan, en wat ze hebben meegenomen.'

'Hoeveel kinderen zullen we krijgen?'

'O, heel veel. Na deze nog heel veel.'

En Johanne zweeg en keek in het vuur, en hij zag hoe haar hand over haar buik streelde, maar hij wist niet of ze zich daarvan bewust was.


Ze werd nerveus toen haar tijd naderde. 'Goddank dat je hier dan nog zult zijn, dat je niet weg bent naar zee.'

'Je bent de vrouw van een zeeman, je moet weten hoe je je zonder mij moet redden.'

'Niet wat dit betreft. Hiervoor wil ik weten dat je er bent.'

'Jij moet het werk doen, niet ik. Ik kan je niet helpen.'
Ze zag er zo kwetsbaar uit toen hij dat zei, maar hij wist
het ook allemaal niet. 'Ik ben nu eenmaal een man, zie je.
Ik weet niets van dat soort dingen.'

Hij wenste dat ze dit niet van hem vergde, omdat hij
niet wist wat hij ermee aan moest.

'Nou, ik kan bij Kirsten Pedersdatter langsgaan als je
dat wilt, als dat nodig is.'

En hij ging nog diezelfde dag naar vrouw Pedersdatter
en ze gaf hem kruiden om haar te kalmeren, en toen hij
vroeg of er niet nog iets anders was, gaf ze hem een vreemde witte steen die Johanne aan een koord om haar hals
moest dragen. De steen was eivormig en rammelde alsof
er een los ding in zat, en ze zei dat die uit het nest van een
adelaar kwam. Hij betaalde veel voor de steen en wist niet
of zijn geld wel goed besteed was. Ze nam de munten in
haar schone witte handen en glimlachte toen alsof ze
hem gerust wilde stellen dat de woorden die daarna volgden gratis waren. Haar glimlach was vreemd door haar
lange tanden in haar smalle gezicht, alsof ze een heel oud
paard was, maar haar ogen waren warm als kastanjes. 'Let
erop dat ze goed eet. Je wilt toch niet dat ze wegkwijnt.
Kijk of je niet wat verse groenten voor haar kunt krijgen,
hoe donkerder hoe beter, en rood vlees, lever; van dat
soort donker voedsel zal ze sterk worden.'

'Wilt u bij haar langsgaan? U zou met haar kunnen praten, ik weet zeker dat dat helpt.'

'Het is zonde van je geld om me nu te laten komen.
Wacht tot je me echt nodig hebt.'

Hij ging terug naar Johanne die met de kruiden haar

eigen drankjes ging brouwen, en hij kocht het voedsel op de markt. Wat ze nodig had was een vrouw, begreep hij, en hij voelde zich lomp en hulpeloos. Hans Jakobsen was in zijn werkplaats altijd spraakzaam, maar thuis was hij stil en afwezig. Hij probeerde er op een keer bij Johanne achter te komen of haar vader altijd zo geweest was, of hij 's avonds altijd zo zwijgzaam in zijn stoel had gezeten, terwijl zij om hem heen speelde toen ze nog een klein kind was. Johanne had verbaasd gekeken bij zijn vraag en zei: 'Natuurlijk, was dat dan niet altijd zo, vond niet iedere man het prettig om op die manier de gebeurtenissen van de werkdag te overpeinzen?' Dus zo, begreep hij, had ze zich de stilte van haar avonden eigen gemaakt, die lange avonden waarop ze ritselde en borduurde en alleen opstond om hout op het vuur te leggen; waardoor ze zo onafhankelijk had geleken – behalve dan voor wat betreft haar zwangerschap – waardoor ze ouder leek dan ze werkelijk was.

'Blijf bij me.'

Hij wilde net naar buiten gaan, naar de markt en naar de haven. Hij had zijn hoed al op en zijn jas aan en maakte net zijn laarzen vast. Die gedenkwaardige winter duurde maar voort, hoewel het al februari was. De kou leek zelfs nog erger te worden door het aanwakkeren van de wind, die de laatste paar dagen vanuit de Oostzee aan kwam gegierd vanuit een loodgrijze hemel en zelfs de schaatsers binnenhield.

'Blijf alsjeblieft.'

'Kom, meisje. Ik blijf niet lang weg. En je vader is in de werkplaats.'

Ze zag er bleek uit, zag hij ineens, maar dat zou kunnen

komen door de bijtende kou, die door de kieren in de lui-
ken fluitend naar binnen kwam, en door de deur als hij die
opende.

Toen hij terugkwam, stond ze voorovergebogen over
het bed, haar gezicht in verkrampte handen, kreunend
van onderdrukte pijn. Hij liet alles uit zijn handen vallen
en ging naar haar toe, maar kon haar niet aanraken. Een
mens die pijn heeft is zo alleen. Hij hield haar pas vast
toen de kramp was verdwenen.

Het was te snel, zei ze. Ze wist dat er iets niet goed was.
Kirsten Pedersdatter had haar verteld wanneer het kind
ongeveer geboren zou worden, in welke fase van de maan.

'Je kunt dat niet zeker weten, vrouw Pedersdatter kan
het mis hebben. Ze is nu eenmaal geen dokter.'

'Geen dokter misschien, maar de mensen hier in de
buurt zeggen dat ze meer kennis heeft dan welke Latijns
sprekende dokter in heel Kopenhagen ook.'

In de tijd voor de volgende wee kwam gingen ze samen
bidden. Toen ze overeind kwam uit haar geknielde houding, sloeg hij haar sjaal om haar heen, legde kussens op
het bed en maakte het haar zo gemakkelijk mogelijk. Hij
ging naar beneden om een kruidendrankje voor haar te
maken, maar eerst wilde ze niet dat hij wegging, wilde niet
dat hij haar alleen zou laten in de kamer. Hij moest haar
handen van hem losmaken en die naast haar lichaam leggen voordat hij zichzelf van haar kon bevrijden. Daarna
ging hij naar beneden waar hij eerst Hans riep en toen
naar de huizen van de buurvrouwen ging voor hulp. Toen
die eenmaal bij haar waren en er wat verlichting leek te
zijn, of er in elk geval een patroon in de weeën ontstond,

ging hij naar buiten en liep een heel eind door de lege opgevroren straten.

Hij had geen idee hoe lang hij weg was geweest. Er was maar weinig licht aan de hemel, en nog minder om door te dringen in de smalle opening tussen de oude huizen die boven zijn hoofd naar elkaar toe leunden. De invallende schemering aan het einde van de dag was nauwelijks merkbaar behalve door de sterker wordende gloed van kaarsen en het licht van haardvuren achter de ramen die hij passeerde. Hij liep langzaam, keek naar de grond, want het donkere ijs was misleidend en je gleed er gemakkelijk op uit. Een paar keer aarzelde hij even bij het geroezemoes vanuit een herberg of bierkelder. De gedachte aan warmte verlokte hem, de gedachte aan wat drank die warmte in hem zou kunnen verspreiden, maar telkens liep hij toch weer door, omdat hij bang was dat hij het gedrang van mensen niet zou kunnen verdragen. In een kroeg waren altijd zoveel mannen, waren er altijd zoveel vrolijke gezichten en stemmen. Hij was geen man voor mensenmassa's, hij had te veel tijd van zijn leven daarbuiten doorgebracht en zijn ziel had ruimte nodig. Dus liep hij naar het water. Dat was wat je deed in deze dichtbevolkte stad, je liep naar het water voor rust. Hij liep naar het noorden totdat hij de vestingwallen had bereikt en liet alle huizen achter zich. Hij stond aan de kant en staarde in de ruimte, een lange blik voorbij de in het ijs vastliggende schepen naar de leegte die hiervoor de zee was geweest, stond daar te denken totdat hij door de snijdende wind koud werd tot op het bot, en keerde toen pas terug met een schuldgevoel vanwege de gestolen tijd.

Toen hij bij het huis van de vroedvrouw kwam, klopte hij op de deur en moest een hele tijd wachten, totdat er eindelijk gekletter op de trap binnen klonk en een jonge vrouw naar de deur kwam. Hij zag dat het de dochter van Kirsten Pedersdatter moest zijn, omdat ze zo op haar leek, alleen jonger en met een ronder gezicht, met meer tandvlees.

'Mijn naam is Thomas Cave. Mijn vrouw heeft je moeder dringend nodig, ik neem tenminste aan dat vrouw Pedersdatter je moeder is.' De gelijkenis in het gezicht van de jonge vrouw was zo volledig dat hij zich afvroeg of een vader, een man, nog wel een rol had gespeeld bij haar ontstaan.

'Mijn moeder is er niet. Ze werd weggeroepen.'

'Wil je haar dan vertellen dat ze meteen moet komen zodra ze terug is?'

'Ik kan niet zeggen wanneer dat zal zijn.'

'Vertel het haar in elk geval. Zeg dat ze moet komen.' Bijna had hij de dochter gevraagd of die niet kon komen, alsof zij de hersens van haar moeder had geërfd, samen met haar uiterlijk.

'Wacht even.' Ze liet hem bij de deur staan en verdween door de donkere gang die naast de trap liep. Een paar minuten later kwam ze terug met iets in haar hand. 'Ik denk dat ze u dit zou geven voor uw vrouw.'

'Wat is dit?'

'Tegen de pijn. Als het heel erg wordt.'

Aan de gezichten van de vrouwen in het huis viel nauwelijks af te lezen dat ze zijn terugkeer hadden opgemerkt.

Hij had het gevoel dat het hen niet kon schelen dat hij was weg geweest of hoe lang zijn afwezigheid had geduurd, alsof hij hier niet belangrijk was. Alleen Johanne wilde hem zien. Ze liep rond in de kamer, haar gezicht gespannen, een schittering in haar ogen.

Ze stak een hand naar hem uit. 'Je bent weg geweest. Ik had je toch gezegd dat je niet weg moest gaan.'

'Ik ben naar vrouw Pedersdatter geweest.'

'Je was zo lang weg.'

'Lieverd, door de toestand waarin je verkeert, lijken een paar minuten soms een uur.'

Op dat moment ging er een golf van pijn door haar heen, waardoor ze naar adem snakte. Ze boog zich over het bed en hield haar gewicht tegen met gebalde vuisten die in de dekens doken. Ze zei niets totdat de pijn was weggeëbd.

'Waar is ze dan?'

Kirsten Pedersdatter kwam pas na middernacht. Niemand in huis sliep, behalve de leerjongen op zolder. Hans was in zijn werkplaats blijven zitten en werkte in voortdurende stilte die hij zelfs niet verbrak toen hij de voordeur voor haar opendeed. Hij liet niet blijken dat hij haar kende of wist waarvoor ze kwam, maar liet haar langs hem heen lopen naar Cave toe, die de trap was afgekomen na haar klop op de deur.

'Eindelijk,' zei Thomas Cave. 'U zei dat u zou komen als ze u nodig had. Waar bleef u?'

Ze nam niet de moeite om te antwoorden. Haar lippen klemden zich over haar tanden en de blik in haar ogen was te scherp voor hem. Ze zei tegen hem dat hij de vrouwen die stonden te kijken, weg moest sturen. Toen ze alleen waren, moest Johanne op haar rug op de grond gaan liggen, waar ze het best bij haar kon en trok haar nachtjapon omhoog om haar gepijnigde enorme buik te ontbloten. Ze knielde naast haar neer en betastte haar systematisch met die bleke handen van haar. Ze prikte en duwde, spreidde Johannes benen wijd, trok ze op en voelde ertussen.

'Dat dacht ik al. Ik dacht al dat het te vroeg was. Het is veel vroeger dan zou moeten. Ik weet niet waarom het nu al is begonnen.'

'Wat kunt u doen?'

'Ik? Ik kan weinig anders doen dan wachten, net als jij. En haar vertellen dat ze moet wachten, geduldig moet zijn. Is haar water al gebroken?'

'Nee. Er is niets gebeurd, behalve die pijn.'

'Dan is er nog een kans dat dit over zal gaan. De baby ligt verkeerd en zit ook nog eens te hoog. Misschien kan ik haar wolfskers geven om de krampen te verlichten, waardoor de baby meer tijd zal hebben om te draaien.'

'Doe dat dan.'

'Wacht. Niet zo haastig. Ik zal haar eerst een poosje in de gaten houden, om te zien hoe het gaat.'

En ze zei tegen hem dat hij moest gaan slapen, waarop hij vertrok naar de kamer ernaast, die van Hans was. Toen hij wegging, zag hij hoe ze weer op de grond knielde en drukte en duwde met haar sterke witte handen, en hij hoorde hoe ze een lange woordenstroom uitte met een ritmische ondertoon waarvan hij de woorden niet kon verstaan.

Hij was zeker in slaap gevallen terwijl hij bleef luisteren, want toen hij wakker werd was het eerste wat hem opviel dat het doodstil was in huis. Er was geen enkel geluid te horen vanuit haar kamer, en nauwelijks een geluid vanuit de slapende stad, behalve een klok die sloeg en een vroege haan die kraaide. Hans sliep op het bed naast hem, dus hij had dan eindelijk zijn werk weggelegd en was naar boven gekomen, al had Thomas Cave daar niets van gemerkt. Er was voldoende grijs licht om zijn gestalte te onderscheiden, in elkaar gedoken op zijn zij met de deken over zich getrokken. Een dun been stak er gebogen onderuit, licht trillend bij elke uitademing. Toen er een hond ergens dicht in de buurt begon te blaffen, rolde hij om en begon te snurken, een zacht ratelend gesnurk. Een andere hond nam het geblaf over en een golf van geblaf verspreidde zich door de wijk. Thomas Cave kwam toen overeind, zachtjes naast de andere man, en liep op zijn tenen de kamer uit, naar de vrouwen.

Kirsten Pedersdatter zat in een rechte stoel dicht bij het raam, haar armen bungelend, haar lichaam slap alsof ze sliep, maar haar ogen waren open en stonden oplettend. Haar patiënt lag nu op het bed, opgerold voor zover dat kon met haar omvang. Hij kon niet zien of ze nu sliep of wakker was, maar voordat hij dichterbij kon komen, legde Kirsten Pedersdatter een vinger op haar lippen en leidde hem naar de overloop en de trap af.

In het ijle morgenlicht van de zitkamer beneden begon ze te praten.

'Ik heb haar iets gegeven zodat ze wat kan slapen. Ze zal alle kracht nodig hebben die God haar kan geven.'

Het was begonnen, zei ze, niet als een bevalling maar als een verstoring van de baarmoeder. Ze kon niet zeggen wat daar de oorzaak van was, maar staarde naar buiten waar de laatste ster verdween en de zon opkwam tussen de daken in een scherpe roze streep. Ze zei schouderophalend: 'Gods wil, het boze oog.'

'Of gewoon pech,' zei Thomas Cave. 'Of toeval. Of doordat ze een bepaalde bouw heeft, bepaalde eigenschappen heeft geërfd, net zoals haar kleur haar of haar blauwe ogen, maar in dit geval een gebrek, een gebrek in haar lichaam dat ze heeft geërfd van haar moeder. Wist u dat haar moeder bij haar geboorte is gestorven?'

'Ja, dat weet ik, want ik was er zelf bij. Maar wees gerust, het was niet zoals dit, het was niet hetzelfde.'

Vijf dagen lang ging het zo door. De pijn kwam en kwelde haar. Ze snakte naar adem en krijste als een kat, en soms gromde ze en beet ze in een stuk leer dat hij uit de werkplaats beneden had gehaald, een dikke huid waar ze met haar tanden doorheen knaagde en die vastklemde en kneedde met haar handen. In de tussenpozen ademde ze bewust diep om het gekerm te dempen en zocht hem dan met haar ogen. Als hij haar aankeek, zag hij diep in haar een kalmte en vond haar lijken op een madonna met diepgoud haar dat om een gezicht vol jeugdige onschuld viel.

'Wil je wat voor me spelen, Thomas?'

Hij pakte zijn viool van de muur en speelde een droevig langzaam wijsje, speelde eerst zo gevoelig als hij kon, maar toen hij merkte dat elke soort muziek werkte, begon hij de meest onwaarschijnlijke dingen te spelen: danswijs-

jes, kerkmelodieën, het stampende ritme van dubbelzin-
nige liedjes, alles wat maar klank had om haar af te leiden
van haar pijn. Hij speelde niet echt goed viool, was geen
muzikant die die naam waard was. Voor anderen speelde
hij zodat ze zouden gaan dansen, drinken en zingen, niet
om beluisterd te worden. Hij had geen subtiliteit. Maar
hier in de kleine bovenkamer voor het bed speelde hij en
ging er helemaal in op, en even gebeurde dat ook bij haar.
Er waren momenten waarop de andere vrouwen er ook
bij zaten en je door de sfeer bijna zou denken dat er feest
werd gevierd.

Kirsten Pedersdatter kwam elke dag wel één of twee keer
langs. Zonder iets te zeggen liep ze dan door de werkplaats,
waar Hans nooit een blijk van herkenning gaf, hoewel Cave
uit haar woorden had begrepen dat ze bij de fatale bevalling
van zijn eigen vrouw was geweest. Ze liep de trap op naar
Johanne, die ze betastte en bewerkte. Ze legde haar oor op
haar grote trommel van een buik om te luisteren naar de
hartslag van de baby. Ze schoof haar vingers in de vrouw
om te meten hoe ver ze ontsluiting had, legde haar hand op
haar hoofd om de koorts te voelen, keek in haar ogen die
rood dooraderd waren door de spanningen. Thomas en de
vrouwen hielden zich op de achtergrond als ze kwam, en
verlieten soms de kamer en keken dan toe vanaf een
afstand. Ze zei nooit iets tegen hen en sprak ook nauwelijks
met haar patiënte, hoewel ze veelvuldig mompelde, soms
zo langdurig dat hij geloofde dat ze een soort bezwering
uitsprak. Op een keer nam ze iets mee en bond dat om haar
middel onder haar kleding. De vrouwen keken ernaar en
zeiden later tegen elkaar dat het de huid van een slang was.

Hij vatte na al die dagen uiteindelijk moed en volgde haar de straat op. Het duizelde hem even; hij was al dagen niet buiten geweest en daar was de zon die door de zeemist probeerde te breken.

Ze keek naar hem met ogen hard als kleine noten.

'Je vrouw is heel zwak. De pijn heeft haar bijna volledig uitgeput.'

'Is er niets wat u kunt doen?'

'Je hebt gezien dat ik alles doe wat ik kan.'

'Kunt u haar dan in ieder geval iets geven tegen de pijn?'

'De medicijnen die ze heeft, zijn al krachtig. Ze kunnen niet veel langer worden gebruikt zonder zelf dodelijk te worden.'

# II

*Ik geloof dat ik hier in Groenland — als dit eiland tenminste Groenland is — geen sneeuw heb gezien met de zachtheid die wij op onze zuidelijke geografische breedte hebben. De sneeuw hier, diep in deze genadeloze winter, is een harde, gemene, compacte sneeuw die rondwervelt in de wind en je treft als speldenprikken op je ooglid of op een ander onbedekt stukje huid. Drie dagen geleden heb ik een beer gedood, God zij dank voor zijn bekommernis om mij in deze wildernis. Het was een buit waarbij ik veel geluk had, omdat de beer op een steile helling liep zodat, hoewel de afstand tamelijk groot was, een enkel schot voldoende was om hem tegen de grond te laten slaan en te doden. Alleen was die plek ver van mijn hut, zodat het me een paar dagen heeft gekost om hem te villen en te slachten en in stukken mee te nemen om op te hangen, een taak die ik in etappes heb uitgevoerd omdat de kou in mijn onbedekte vingers sneed. Als het nieuwe vlees er niet was geweest, zou ik zeker neerslachtig zijn geworden. Deze eindeloze dagen van schemering en sneeuwbuien zijn erg beklemmend.*

Hij herinnerde zich hoe de sneeuw die laatste dag heel zacht viel, zodat hij het beschouwde als een teken dat God mededogen had. Wat zou hij hier, op deze ongenaakbare plek, graag zulke sneeuw hebben gehad. De vlokken vielen vanaf de dageraad, licht en dik tegelijkertijd, en bedekte het smerige ijs en de vlekkerige opeenhopingen op de straten met een dikke laag wit dons. Toen hij naar buiten ging, had hij zijn gezicht geheven om de vlokken als veertjes te voelen vallen en wegglijden, en voelde hoe een paar ervan bleven hangen in de opening tussen zijn lippen. De kille oostenwind was afgenomen en de temperatuur was merkbaar gestegen. Daardoor wist hij dat deze sneeuw niet zou blijven liggen zoals de eerder gevallen sneeuw van die winter, maar na korte tijd zou wegsmelten. Alle kans dat de zon daarna zou komen. Hij voelde dat de warmte en het licht van de zon daarboven waren, maar nog even wachtten achter de zachtheid van de sneeuwwolk.

Hij ging de dominee halen. Toen hij de zachtheid van de sneeuw op hem voelde, vroeg hij zich af of dat eigenlijk nog wel nodig was. De vrouwen hadden er bij hem op aangedrongen om het te doen, maar een tijdlang had hij zich ertegen verzet. 'Kijk, ze heeft pijn,' zeiden ze. 'Ze is te zwak, ze zal het kind er nooit uit kunnen persen.' Er waren zo veel vrouwen die op bezoek kwamen, zo veel stemmen die wisten wat hij niet wist. 'Ze zal uitscheuren,' zei een oude vrouw, een mager besje van verderop uit de straat, die hij nooit eerder van dichtbij had gezien. 'Het kind zal haar vanbinnen uiteenscheuren.' Zelfs de goede Anna Nielsdatter, de vrouw van de bakker, die vaak op Johanne had gepast toen ze nog een kind was zei: 'Ik heb zeventien kinderen gebaard, waarvan twee tweelingen en zes doodgeboren kinderen, maar ik heb nog nooit een geboorte zoals dit meegemaakt.' Zo veel stemmen die iets tegen hem zeiden, maar toch deed hij niets, totdat ze het zelf aan hem vroeg en hij zag dat haar hoop bijna was verdwenen.

De sneeuw hechtte zich aan de kerktoren, bedekte het beeldhouwwerk van de grafstenen op het kerkhof. Het lag op de zwarte rand van de hoed van de dominee en in de plooien van zijn mantel terwijl hij liep. Het viel als bloemblaadjes buiten langs het raam van haar kamer zodat, toen hij haar uit haar half bewusteloze toestand haalde om te zeggen dat de dominee er was, ze plotseling vroeg of de kersenboom achter de muur soms in bloei stond.

Ze knielden neer in de kamer en zeiden gebeden op en de dominee las voor uit de bijbel. De deur ging open en mensen kwamen en gingen terwijl ze aan het bidden waren, en toen hij om zich heen keek, zag hij dat Kirsten Pedersdatter bij hen knielde, met de dochter die zo op haar leek naast haar. Hij wist niet waarom hij verbaasd was hen te zien.

Toen de dominee wegging, vertrokken de meeste vrouwen samen met hem, de smalle trap af met een aanhoudend geritsel van rokken als in een optocht. De grijze kamer leek achter hen tot rust te komen, alsof die was ontdaan van meer dan alleen hun aanwezigheid, alsof die was ontdaan van handelingen, van inspanningen en angsten, waardoor alle lucht erin was verbruikt en uitgeademd. Alleen Kirsten Pedersdatter en haar dochter bleven nog bij hem en Hans, die zijn gereedschap eindelijk in de steek had gelaten om naast het bed te gaan zitten.

'Dank u, vrouw Pedersdatter, voor alles wat u hebt gedaan. Ik weet dat u heel kundig bent en hard hebt gewerkt. Wat er zal gaan gebeuren, is niets anders dan Gods wil.' In zijn nieuwe gelatenheid had hij het gevoel dat hij het met haar goed moest maken, dat hij haar moest bedanken.

'Wacht. Eén ding, er is misschien nog één ding. Als je het me toestaat, dan is er misschien nog één laatste ding dat we kunnen doen.'

Volhardende stem, volhardende ogen. Terwijl ze sprak werd Johannes lichaam opnieuw gepijnigd door weeën en hij wist niet of hij het nog langer kon verdragen, laat staan of zij dat zelf nog kon.

'Mijn dochter heeft me een medicijn gegeven dat werd bereid door een vriendin, een vrouw die me veel heeft geleerd. Misschien dat dit haar nog de kracht zal kunnen geven om het kind eruit te persen waarvan ik weet dat het nog in haar leeft.' Haar woorden waren als tromgeroffel in zijn hoofd. De dochter die als twee druppels water op haar leek stond naast haar en verdubbelde haar overtuigingskracht. 'Ik weet dat het nog leeft, ik heb de hartslag gehoord, zwak maar nog steeds aanwezig. Het is een sterk kind en zij is een sterke vrouw. Laat me dit nog proberen.' En ze haalde uit een stoffen zakje dat haar dochter haar overhandigde, een klein medicijnflesje van blauw glas. 'Ik kan niet met zekerheid zeggen wat het zal doen, alleen dat ik de vrouw die dit medicijn heeft gemaakt meer nog dan mijzelf vertrouw.'

Meer hoop, meer pijn. Het duizelde hem. Hij keek

over het bed heen naar Hans, maar nooit had hij dat aan-
dachtige en expressieve gezicht zo gesloten gezien, zo
afwezig. Hij keek naar buiten. De sneeuw viel zo zacht, en
bedekte alles met een deken, alsof er geen inspanningen
meer verricht hoefden te worden, alsof alles moest worden bedekt met een zachte witte deken.

Hij denkt nu dat hoop een grotere kwelling is dan wat ook.
    Deze dagen met een valse dageraad zijn vreselijk voor
hem geweest. Hij is wakker geworden bij het begin van
licht, met een roze kleur aan de zuidelijke hemel die zich
verspreidde en langs de hele horizon kroop, waar hij ook
keek, de roze kleur van een zon die op het punt staat op te
komen en die maakt dat hij alle uren van de dag vol ver-
wachting is, maar die dan vervaagt en hem bedrogen achterlaat. Rond de tijd waarop het volgens hem halverwege
de dag moest zijn, heeft hij gezien hoe helderheid en
schaduw hoog boven de bergen naar het zuiden van het
eiland bewogen, terwijl het licht van een verborgen zon
erlangs streek. Op datzelfde uur van ieder van de drie
afgelopen dagen heeft hij de berg aan het einde van het
strand beklommen om te kijken, en hij dacht dat hij de
rand van de gele schijf van de zon aan de horizon kon
zien, die alleen flikkerde en trilde als een luchtspiegeling
en toen verdween. Nu vecht hij zich een weg omhoog
langs de berghelling, vecht omdat de wind is opgestoken,
koud als alle winden die hij in dit woeste en ledige gebied
al heeft meegemaakt, die telkens opnieuw waait met ijskoude stoten en hem omver probeert te blazen. Hij klimt
in elkaar gedoken omhoog, zodat hij niet door de volle

kracht van de wind zal worden omgeduwd, en als hij de top nadert, merkt hij dat hij op handen en voeten moet kruipen en uiteindelijk plat op de rots moet gaan liggen die door de wind is ontdaan van sneeuw.

Hij ziet de bergen voor zich uitgestrekt, het in elkaar geschoven ijs van de baai en de fjord, de bergen van het land aan de andere kant, en ver weg, de vage onbeweeglijkheid van de bevroren oceaan. Alles heeft een fletse kleur, de roze tint van de hemel die overal wordt weerspiegeld, de lila schaduwen, allemaal tamelijk onwerkelijk. Even denkt hij dat hij eindelijk de zon ziet, die zich geel en rond duidelijk boven de horizon aftekent, maar dan herinnert hij zich dat de zon helemaal niet op die manier verschijnt en begrijpt hij dat dit opnieuw alleen een luchtspiegeling kan zijn.

Is het de wind of is het de wanhoop in hem die tranen in zijn ogen brengt en zijn beeld vertroebelt? Een blauw flesje; nog meer pijn. Waarom liet hij toe dat ze het aan haar gaven? Hij gaat rechtop in de wind staan en een grote rukwind grijpt hem en blaast hem weg. Even wordt hij de lucht in geworpen alsof hij vliegt, en dan stort hij omlaag, op zijn schouder, zijn heup, zijn hoofd, stort omlaag en rolt de berghelling af, zijn ledematen om hem heen wapperend. Hij valt een heel eind, heeft alleen besef van de gewaarwording en de pijn, maar dan, met plotseling scherp bewustzijn, weet hij dat een lawine samen met hem naar beneden begint te komen. Hij weet het nu: zijn einde is nabij, hij zal met zijn armen en benen uitgespreid worden begraven zoals hij zal neervallen op de sneeuw, de berg zelf zal hem bedelven waar geen mensen zijn om hem te begraven. Hij blijft maar vallen, maar de sneeuw bedekt hem met niet meer dan een wolk van sneeuw die over zijn lichaam terugvliegt, en hij realiseert zich dat die hem meevoert. Hij wordt boven op de lawine meegevoerd als een vlot op een stroomversnelling die hem heen en weer stoot, maar hem ook verder voert. O, Heer, laat er geen rotsen zijn. Als dit maar eindigt zonder rotsen. En eindelijk, met verbazingwekkende zachtheid, merkt hij dat hij stil ligt. Hij opent zijn ogen en ziet de lila hemel en de barmhartige sneeuw die onder hem ligt opgehoopt. Wat is hij een eind gevallen en toch is hij nog in leven. Hij had dit niet voor mogelijk gehouden. De Herder verzamelt zijn verloren schapen en behoedt hen voor gevaar. Langzaam krabbelt hij overeind, alsof hij de stukken van zichzelf moet verzamelen, alsof hij niet zeker weet of alles weer in elkaar zal passen. Zijn hoofd heeft een harde klap gehad: hij kan de zwelling erop voelen, het bloed in zijn verwarde haar. Hij heeft ook pijn in zijn schouder waar zijn gewicht het eerst op terecht is gekomen, en pijn in zijn enkel en zijn borst. Hij spreekt tot zichzelf, zou hardop praten als de kou niet zijn lippen zou hebben samengetrokken, zijn stem heeft teruggebracht tot de fluistering van een buikspreker. Rustig nu, Thomas Cave. Heb geduld man, wees voorzichtig. Houd je vast aan de beheerste manier waarop je altijd hebt geleefd, één stap tegelijk, geef nooit toe aan emotie of wanhoop. De Heer heeft je al zo ver gebracht, nu is het aan jou om ervoor te zorgen dat je weer in je hut komt. Niet alleen de Heer is je getuige, maar zelf ben je dat ook. Je kent je eigen sterktes, je zwaktes. Door discipline, door gezond verstand en door behoedzaamheid kun je ervoor zorgen dat je dit overleeft.

Elke stap die hij zet doet pijn. Hij telt tot vijf, stopt dan, valt op de grond en ligt daar zonder besef van tijd. Niet goed, zegt hij bij zichzelf, zo zul je jezelf niet redden. Blijf tellen, volg het spoor. Je bent hier niet al die maanden geweest om het nu op te geven. Herneem jezelf, dat heb je al eerder gedaan. Opnieuw, vijf stappen. Even pauze. Nog eens vijf, en hij leunt op een rots om op adem te komen. Pijnscheuten in zijn schouder en zijn enkel, maar toch zal de enkel zijn gewicht moeten dragen. De volgende keer dwingt hij zichzelf om tien stappen te zetten en rust dan uit op zijn goede been. Op deze manier, telkens een stukje, komt hij terug bij de tent.

Hij ziet het kind meteen, verlicht in de gloed van de haard. Een baby die slaapt. Hij slaapt met de sereniteit die je alleen ziet bij heel jonge kinderen; zo'n vertrouwen in de gladheid van de gesloten oogleden, de krulling van de wimpers, de zwakke krulling van een mondje dat glimlacht in een droom. Stevig en warm is de doek waarin het kind losjes gewikkeld is, en waarin het zich koestert in een warmte die hij zich, omhuld door al zijn vachten, nauwelijks kan voorstellen. Kan dit zijn zoon zijn? Voor het eerst weet hij wat het is om een levende zoon te hebben. Hij knielt neer, neemt de roze kleur van de wangen van het jongetje in zich op, de zachtheid van zijn huid, zijn ronde armpjes, zijn kleine licht samengebalde vuistjes, de donkergouden krullen onder zijn mutsje. Hij trekt een handschoen uit maar beseft dat zelfs de zachtste aanraking zou branden als ijs op dat kleine handje dat zich naar hem lijkt uit te strekken.

Wat als hij hem zou aanraken? Zou hij wakker worden en gaan huilen, doordringend babygehuil dat de hut zou vullen, of zou het kind ineens verdwijnen? Hij strekt zich zowel verwonderd als angstig uit en houdt zijn handen vlak bij het kind; zijn vingertoppen kunnen de warmte voelen die van het slapende lijfje af komt. Als dit een hallucinatie is, dan had hij nooit kunnen geloven dat die zo compleet, zo warm, zo levendig zou kunnen zijn. Zelfs zij verscheen niet zo levensecht bij hem.

## 12

Hij zit zo dicht mogelijk bij het vuur, sluit zijn ogen in zijn tollende hoofd. Langzaam, terwijl de warmte tot hem doordringt, begint hij de afzonderlijke pijn te onderscheiden. Hij begrijpt dat hij dankbaar moet zijn. Hij had geluk, of was gezegend, dat hij zo werd opgetild door de witte handen van de sneeuw. Zijn enkel bezorgt hem veel pijn. Het is een gruwelijke kwelling om zijn laars uit te trekken, maar als hij de verwonding onderzoekt stelt het hem gerust om te zien dat het gewricht nog alle kanten op kan buigen, voor zover de zwelling dat toelaat, en hij gelooft dat hij er binnenkort wel weer op kan lopen. De kleur van de kneuzing is al paars en hij kan zich voorstellen dat het op zijn rug en op zijn ribben net zo erg moet zijn, hoewel hij zijn kleren niet heeft uitgetrokken, die nu als een doffe extra huid aan hem zitten vastgekleefd. Het had nog veel erger kunnen zijn. Met veel moeite knielt hij om te bidden, God te danken voor zijn redding. En dan probeert hij een gemakkelijke houding te vinden op het bed en probeert te rusten. De stilte in zijn hut is plotseling zo totaal dat hij gelooft dat de wind buiten helemaal is gaan liggen.

Even later dwingt hij zichzelf om weer te gaan bewegen. Hij strekt zijn stijver wordende lichaam en zijn enkel in een poging alles soepel te houden. Hij gaat op zoek naar een stok van de juiste maat en hobbelt daarmee door de kamer, hobbelt er zelfs mee naar de deur van de tent om naar buiten te kijken.

*Deze nacht zijn de lichten op een angstaanjagende manier langs de hemel geschoten, alsof er een einde aan de wereld dreigde te komen, of dat dit overal elders al was gebeurd, behalve hier. Het was alsof ik aan de hemel de weerspiegeling zag van een verre veldslag, de vlammen, de rooksluiers, de bogen van geweervuur, allemaal ondersteboven, vervormd en vervaagd tot zwakke en onbeschrijflijke schaduwen van groen en roze, oranje en paars, met al het gewelddadige geluid ervan op deze grote afstand gereduceerd tot een gezoem als van klapwiekende vleugels.*

In werkelijkheid was het slechts een vaag geluid, een gezoem of gefluit dat zo zwak was dat hij niet wist of het nu in zijn hoofd zat of van buiten kwam, en onder het vreemde hoge gezoem leek hij een zachtere toon te horen, een dieper gemompel dat kwam en ging als golven. Het klonk als een stem, een vrouwenstem, haar stem die het kind suste: een zacht wiegelied in die taal van haar die zo vlak en ontbloot van gevoel leek te zijn.

Hij denkt dat hij door het gebons in zijn lichaam en zijn hoofd maar heel even heeft geslapen. Hij probeert die nacht niet eens meer te slapen, maar zit overeind aan de tafel in het lamplicht, net als in de begindagen. Hij verdiept zich in zijn werk, snijdt volhardend en mechanisch, alsof hij door dat te doen zijn geest net zo beweginloos kan maken als het materiaal waarmee hij werkt, de beelden in zijn hoofd kan laten stoppen en die net zo simpel, echt en voorspelbaar te maken als hout en metaal.

Het beeld van Johanne, languit liggend, haar haar uitgespreid over haar schouders. Toen de kwelling eenmaal voorbij was, had haar gezicht een serene uitdrukking gekregen en kende hij haar weer. Maar toch vroeg hij zich op dat moment ook af hoe goed hij haar eigenlijk kende, omdat hij geen idee had wat er zich in haar had afgespeeld, alsof ze altijd alleen maar een bepaald beeld voor hem was geweest, een droom, een buitenkant, niet zijzelf, maar een gezicht, een meisje, een vrouw.

Ze was nog nooit zo echt als wat er in zijn handen ligt. Hout, metaal. Die dingen kent hij. Niet die andere dingen.

Niet dat kind naast haar. Hij liet het bedekken, zodat hij het niet hoefde te zien.

Dit werk kan hij nu doen zonder erbij na te denken, hij kan hakken maken met zijn ogen dicht. Om zijn geest wat meer bezig te houden, heeft hij bedacht dat hij een paar klompen gaat maken: de onderzijde uitgehold uit het hout, warm op de koude grond, de bovenkant van zeehondenhuid, goed geolied en met het bont naar buiten, zoals hij heeft gezien op de laarzen van Laplandse handelaren. Hij heeft een blok berkenhout gevonden dat van het schip afkomstig is en wel geschikt lijkt, en heeft een stuk zeehondenhuid gepakt en dat schoon geschraapt en zacht gemaakt tot het soepel is.

De inkeping van de zool, de welving van de wreef; het is

inderdaad waar wat Hans hem heeft verteld, dat hij een goed gevoel heeft voor het vak. Ze hadden goed samen kunnen werken als hij was gebleven. Ze hadden de werkplaats kunnen uitbreiden om ook de betere stand van dienst te kunnen zijn, ze hadden een paar leerjongens kunnen aannemen, een bediende kunnen aannemen om de dames te begroeten; Jakobsen en Cave, schoenmakers van Kopenhagen. Alleen wist hij, alsof hij het al had meegemaakt, wat voor soort leven dat zou zijn geweest. De leegte ervan, die maakte dat er een vreselijk stil geraas in hem weergalmde. Mensen overal om hem heen, en de afwezigheid ervan in hem. De gezichten van de naar de laatste mode geklede mensen als maskers; de gezichten van hen allemaal, ogen, glimlachjes, stemmen, vals en vreemd voor hem. De stad waarin hij een thuis dacht te zullen vinden, is zonder haar net zo vreemd als welke plaats ook waar hij ooit is geweest, plaatsen waar hij aan wal is gegaan met door de zee vermoeide ogen. Het vertrouwde gevoel dat de stad hem intussen had gegeven, zijn huizen, zijn torenspitsen, zijn bezienswaardigheden, werden niet meer dan dingen die hij in het verleden op een schilderij had kunnen zien, of waarover hij had gedroomd.

En toch was hij nog een paar weken, vervolgens twee, drie maanden gebleven zonder de drang om weg te gaan. Hij was eerst gebleven voor hun begrafenis op het kerkhof, de moeder en het kind-dat-niet-had-mogen-zijn, de twee samen in één kist, alsof het moment van hun scheiding nooit had plaatsgevonden, met alleen haar naam op de steen.

Blijf, had Hans gezegd. Overdag, in de werkplaats met

het werk vóór hen, was het goed. Wat hij niet kon verdragen was de stilte 's avonds.

Hij zag de walvisschepen de haven verlaten aan het begin van het seizoen, de Gabriel waarop hij het jaar ervoor had gevaren. Hij had zijn plaats op de boot geweigerd, maar toen hij haar zag vertrekken, had hij het er plotseling moeilijk mee, zoals ze wegvoer in een stevige bries op een aprilmorgen waarop alle daken en torens van de stad erachter helder glinsterden. Het leek moedig om op zo'n mooie lentedag weg te zeilen naar het ijs, terwijl op het land het gras begon op te komen in de weilanden en de bloesem van de bomen waaide. Hij bleef staan kijken totdat ze was verdwenen aan de horizon en wist dat ook hij binnenkort zou vertrekken.

Het volgende schip waarop hij mee kon, was een vrachtschip dat naar de Shetlandeilanden ging. Het kon hem niet schelen waar het schip heen ging. Snel nam hij afscheid, nam behalve de dingen waarmee hij was gekomen, alleen nog de sjaal mee die Johanne had geborduurd. Het was een sjaal van mooie roomkleurige wol, versierd met een patroon van kleurige draden die hij gebruikte om er zijn viool voorzichtig in te wikkelen. Hij had er niet meer op gespeeld sinds die vreemde dagen in de kamer boven, en ontlokte er geen enkele toon aan terwijl hij de wollen stof om de viool vouwde en met de stok ernaast boven in zijn scheepskist legde. Hij kon geen passende woorden vinden om afscheid te nemen van Hans Jakobsen, die zijn werkplaats had gesloten om met hulp van de leerjongen helemaal mee te gaan naar de haven om hem te zien vertrekken. Zolang ik er nog ben, is er hier altijd plaats voor je, had Hans tegen hem gezegd, en het was een treurig gezicht om hem zo te zien leunen op de schouders van de slome leerjongen.

Die goeie Hans. Dag Hans. Hij kon niets uitleggen.

Er was niemand anders van wie hij het gevoel had afscheid te moeten nemen. Niemand op het nieuwe schip zou erachter komen dat de Engelse zeeman die ze aan boord namen, meer dan een kortstondige band had met de stad en niet meer dan wat basiskennis van de Deense taal had.

Ze waren snel in Lerwick, met constant dezelfde goede wind in de zeilen; een voorspoedige reis die wat kleur op zijn wangen bracht, maar zijn ziel onbewogen liet. De Shetlandeilanden oogden saai: vlakke, kale eilanden gegeseld door de zee en passend bij zijn stemming. Hij verliet het Deense schip, pakte zijn kist en ging aan wal. Hij vond logies in een herberg. De mensen die hij daar ontmoette, vroegen hoe lang hij daar zou blijven, maar hij antwoordde dat hij dat nog niet wist, alsof hij wachtte tot er iets zou gebeuren. Hij had daar een zolderkamer met een ruim uitzicht over de haven tot aan de zee, en een aantal keren per dag, zo veel herhaalde minuten dat hij de tel was kwijtgeraakt, stond hij met zijn lange rug gebogen onder het schuine dak en staarde in de grijze verte, en voelde diep vanbinnen diezelfde grauwe verveling die hij had gekend op zijn langste reizen. Het was het gevoel van een man die al zo lang de vertrekhaven achter zich heeft gelaten dat hij het doel van de reis is vergeten, en daarmee alle gevoel voor de mogelijkheid van een aankomst is kwijtgeraakt.

Er waren veel schepen die in zijn gezichtsveld verschenen. Hij observeerde hun passage in en uit de haven met niet meer belangstelling dan wanneer het stukken drijfhout op zee waren geweest. Hij zou nauwelijks hebben kunnen zeggen welk schip ging en welk schip kwam, laat staan welke koers ze zetten. Hij moest de Heartsease hebben zien komen vanuit het zuiden, een stoere bark van zeventig ton, niets bijzonders aan haar, geen bepaalde reden waarom de driemaster hem zou opvallen. Er waren ook andere Engelse schepen, zelfs andere walvisvaarders, die aanlegden voor water en laatste voorraden voor het laatste stuk naar het noorden.

Meer dan een zonnestraal die door de wolken brak, was er niet voor nodig. Hij stond doelloos bij de haven, toen er een brede schitterende zonnestraal omlaag viel waarin de gestalte van kapitein Marmaduke verscheen. Daar maakte hij kennis met de energie van de zwartharige kapitein, de kracht van zijn glimlach. We hebben een man te kort. De stevigheid van zijn handdruk.

Twee dagen later zat hij hoog in de tuigage van de Heartsease met het gekrijs van meeuwen om hem heen. Hij zag het rotsachtige eiland langzaam verdwijnen en verbaasde zich erover dat het geen krimp gaf met al die wind en getijden en stromingen die erop aanvielen.

Wat een goed gevoel was het in het begin geweest om weer naar de frisheid van het Noorden te gaan. Ergens waar het hard en koud was. Ergens waar geen herinneringen waren. Geen geschiedenis van mannen. Of vrouwen.

Er werd hard gewerkt op het schip. Het had een paar

dagen voor de Schotse kust stilgelegen, was pas laat bij de Shetlandeilanden aangekomen, en nu op de reis naar het Noorden ging het sneller varen om de verloren tijd in te halen. Hij had de naam van kapitein Thomas Marma-duke zelfs in de Deense havens horen noemen, en was onder de indruk van de onverschrokkenheid van de man en zijn zelfverzekerdheid in de Groenlandse wateren. Hij ging verder dan welke walvisvaarder van de Compagnies ook, verder dan alles wat in kaart was gebracht, verder naar het oosten en verder dan waar alleen Barentsz ooit was geweest, naar een brede fjord waarin het ijs nog maar net was gebroken en naar de grote baai die ze Duke's Cove noemden, waarheen hij het jaar ervoor een drietal schepen uit Hull had geleid. De bemanning bestond voornamelijk uit mannen uit Hull met open gezichten en zware stemmen, met verder nog wat Basken die het specialistische walviswerk deden en die donker en paaps waren en een kruis sloegen als ze bang waren of in de hoop dat het geluk zou brengen. Ze deden het ook als ze 's morgens wakker werden en voor ze gingen slapen.

Ze kwamen geen dag te vroeg bij de baai aan, want ze ontdekten dat die al vol walvissen was. In die tijd van het jaar kwamen er grote kudden om er te paren, zodra de dooi inzette en het ijs in de zee barstte en uiteenviel en zorgde voor een doorgang. Het schip voer de baai in en wachtte, en de grote nietsvermoedende dieren zwommen er vrolijk rond terwijl ze spoten en met hun staart klapten, alsof ze zich verzamelden op een feestterrein daar tussen het ijs.

Geen mist die eerste paar dagen en hij voelde zich licht in zijn hoofd door de helderheid en het moment zelf. Pas toen ze gingen jagen veranderde zijn stemming.

Thomas Cave was al eerder op walvisjacht geweest, maar nooit eerder had hij het zo meegemaakt. Die winter aan de wal had hem veranderd, waardoor hij andere mensen meer van een afstand bekeek. Hij zag zijn maten met een vreemde objectiviteit terwijl ze aan het werk gingen, alsof hij hen, maar ook zichzelf, vanaf een afstand zag en zonder enige samenhang. Hij zag de enormiteit van het landschap en van de walvissen, hoe klein de mannen en hun bootjes naast hen waren, nietig alsof ze zo konden worden opgepakt en verfrommeld in Gods hand. Hij zag de donkere Basken met hun harpoenen, als prenten die hij had gezien van kleine duivels met hun drietand, en hij zag hoe de waterreuzen werden afgeslacht; zag met een vreemde en opkomende ontzetting de draaikolken om hen heen, het wilde spoor van hun vlucht, de rode fonteinen van bloed die omhoog spoten als ze stierven, en daarna de grote rode vlek die zich verspreidde over de baai, zwaar van de walvisolie en de overblijfselen van de dood, die tegen de zijkant van het schip sloeg, en de krijsende zwermen meeuwen die ertussen doken. Het kwam bijna op hem over als een beeld van de hel. Hij zag het en toch werkte hij er middenin, werkte op de dode walvissen die ze brachten en aan de zijkant van het schip vastbonden, klom op de glibberige, met luizen bedekte lijven en sneed het spek eraf. Hij werkte tijdens de heldere dag en lichte nacht. Hij sprak weinig met de andere bemanningsleden. Als het werk erop zat en ze het strand op gingen, voegde hij zich zwijgend bij hen. Ze zaten voor een vuur en aten het vette vlees van walvissen en walrussen, dronken bier en praatten en vloekten, maar Thomas Cave hield zich afzijdig.

Er was een knaap van veertien bij die hen aan het lachen maakte, een jongen met een fris gezicht en nog iets van het vasteland over zich, die net zo goed acrobaat had kunnen worden, zoals hij salto's en radslagen maakte en voor hen duikelde. Hij kon een keer of vijf achter elkaar draaien en op zijn handen in plaats van op zijn voeten terechtkomen, en liep dan zo weg, met zijn voeten in de lucht en zijn haar over zijn gezicht. Of hij boog zijn lijf naar achteren zodat hij net een krab leek en schoot dan zijwaarts naar de waterkant. Even later kwam hij terug, draaide zijn hoofd en grijnsde ondersteboven naar de man die boven hem stond.

'Wilt u een krab vangen, mijnheer?'

Cave maakte geen grap terug, maar schudde alleen zijn hoofd, en de jongen sprong weer overeind, want het was een vriendelijke jongen die werd ontnuchterd door het intuïtieve besef van de droefheid in de man.

'Mijn naam is Thomas Goodlard, ik geloof niet dat we elkaar al eerder hebben gesproken. Ik werk op een van de walvissloepen. Dit is mijn eerste reis.'

'En wat vind je ervan?'

'Het is zwaar, nietwaar, maar ook prachtig.' De jongen was net een jong hondje en kon niet stil blijven zitten. 'Het is allemaal nieuw en er is hier geen verleden en alles moet nog gaan gebeuren. Ik had nooit gedacht dat er op de wereld een dergelijke plek zou bestaan.'

Thomas Cave hoorde het accent van East-Anglia in de stem van de jongen, keek om zich heen naar de andere mannen, naar de vreemdheid van de verzameling mannen op het strand, naar de bergen die zo koud en sereen boven hen verrezen in het licht van de nacht. Hij zag dat de jongen ongelijk had: iedere man bij het vuur had zijn verleden meegebracht, of hij dat nu wilde of niet, in elk gezicht en elke stem. Hij besefte dat er hier zelfs mensen waren om hem eraan te herinneren dat hij niet zou vergeten. Hij begreep dat ze met hem was meegekomen naar Groenland.

Hij werkt de hele nacht door. Hij heeft uit het hout de vorm van zijn voet gesneden, de uiteinden ervan afgerond zodat de klomp zal rollen onder zijn voetstap. Hij pakt een tweede stuk berkenhout en begint aan de tegengestelde vorm voor de andere voet. Af en toe probeert hij even of hij het wel goed doet, en draait zich dan snel om voor het geval ze daar in zijn ooghoek is. Is het mogelijk dat ze echt weg is? Heeft hij haar soms niet de afgelopen nacht nog buiten in de sneeuw zien lopen, onder die zoemende lichten, met het kind op haar heup, voor wie ze zong?

'Dit is geen plaats voor jou. En voor hem al helemaal niet. Ga terug, ga weg! Waarom breng je hem hier naartoe?'

Ze was het. Hij had kunnen zweren dat zij het was. Ze had een sjaal om het kind en over haar eigen hoofd geslagen, zodat haar gezicht werd verborgen, maar hij wist dat zij het was door de manier waarop ze daar rustig stond, alsof ze wortel had geschoten in de witte grond. Ze stond heel stil, op een paar meter bij hem vandaan, en een plotselinge windstoot blies sneeuwvlokken op de welving van haar hoofd en schouders en in de plooien van de sjaal. Ze tilde haar hoofd niet op om naar hem te kijken, maar toen hij schreeuwde, stopte haar lied, het geneurie van het wiegelied dat ze had gezongen.

'Hoor je me? Ga weg, in Gods naam. Welke verschijning je ook mag zijn, ik weet dat je Johanne niet bent, dus ga weg.' Elk woord deed hem pijn terwijl hij het zei.

Ze stond daar stil, roerloos als een standbeeld. Uiteindelijk veegde ze de sneeuw weg die zich had verzameld op haar sjaal en schikte hem opnieuw. Ze sloeg het uiteinde steviger om het kind heen, dat zich vastklampte aan haar zij, en toen ze klaar was begon ze aan een volgend lied, deze keer een levendiger, op een krachtiger toon die boven de wind uit te horen was. Een Deens liedje waarvan hij de woorden niet kon verstaan, maar het was vrolijk als een kinderversje of een speellied. Opnieuw wikkelde ze de sjaal om zich heen en liep toen weg, terwijl ze het jongetje op haar heup wiegde op het ritme van het lied. Het kind duwde de sjaal terug zodat hij het voor het eerst zag. Het stak zijn hoofdje eruit, sloeg met zijn ronde knuistje tegen haar borst en begon te lachen.

Hoe lang was dat geleden? Tien minuten, een uur? Het werk dat vóór hem ligt, het werk dat hij die nacht heeft gedaan, suggereert dat het langer was, omdat er op de tafel en de vloer om hem heen een zee van houtkrullen ligt. Hij voelt de beitel in zijn hand, zijn handpalm die in het gereedschap is gedrukt, al zo lang eromheen geklemd dat het moeilijk is om zijn vingers ervan te bevrijden en het hout los te laten. Toch lukt het om de beitel neer te leggen en zijn hand uit te strekken, maar terwijl hij dat doet, weergalmen zijn eigen wrede schreeuwen des te harder in zijn hoofd.

'Weg, weg, weg!' riep hij in de wind, en het lied kwam nog steeds bij hem terug, hoewel hij hen niet langer kon zien.

'Maak dat je wegkomt!'

Hij liet zich toen op zijn knieën zakken op de gladde ijskorst voor de deur van de tent en begon te bidden, in het begin warrig, Onze Vaders stamelend en telkens opnieuw willekeurige zinnen herhalend, alsof de simpele herhaling van kerkwoorden een doeltreffende bezwering was. Toen kwamen langzaam de tranen die in zijn baard bevroren, en hij begon alles wat hij wist van een begrafenisdienst hardop uit te spreken. Laat hij hen begraven, hen opnieuw begraven, zelfs hun herinnering in de sneeuw begraven. Laten er geen dromen meer zijn, geen geesten, geen bijgeloof. Laat er niets meer voor zijn ogen zijn dan wat hij met zijn verstand weet, het harde bewijs van de stoffelijke wereld. Laat overleven zijn enige oogmerk zijn. Tot stof zult gij wederkeren, tot ijs zult gij wederkeren. Zijn ademhaling was rustiger geworden door de opeenvolging van de woorden, en de helderheid van de hemel was vervaagd tot er alleen nog een schittering van groen was in de sterren boven de horizon en de nacht diepzwart werd, maar hij kon niet geloven dat ze verdwenen was.

'Ga weg, God vervloeke je! Loop naar de duivel. Ik wil je hier niet hebben!'

## 13

'Het licht is zoet, en het is aangenaam voor de ogen de zon te zien.' Ik heb op deze zevenentwintigste februari opnieuw deze tekst uit het boek Prediker gelezen, en ik geloof niet dat sinds het Oude Testament werd geschreven, een mens ooit heeft meegemaakt hoe de zon op zo'n luisterrijke wijze weer verscheen.

Ik weet niet op welke dag ik de zon voor het eerst weer had kunnen zien vanaf mijn uitkijkpunt op de berg, want door mijn verwonding ben ik de afgelopen dagen niet meer in staat geweest om de berg te beklimmen. Deze hele week heb ik het gevoel van de nabijheid van de zon gehad. Het weer was elke morgen helder en vol belofte, de kleuren van de zonsopgang aan de hemel die de hele dag zichtbaar bleven, vielen goud en roze op het ijs. Dit licht werd rond het middaguur zo constant, waarbij de bergtoppen goud kleurden en hun schaduwen over de kloven erachter wierpen, dat ik moet concluderen dat de bol van de zon al zichtbaar moet zijn geweest vanaf die hoogte. Hier beneden waar mijn hut is, net iets boven de bevroren zee, waar ik rondhobbel om mijn taken te verrichten met een kruk gemaakt van walvisbot en met een enkel die te gezwollen blijft om in een laars te passen en die daarom in *berenhuid is gewikkeld, zag ik nog niet eens een klein stukje van de zon, tot op deze dag. Maar toen ik hem eenmaal zag, liet ik mijn werk in de steek en ging ik erachteraan. Ik hobbelde het harde pad af dat mijn voetstappen in de sneeuw hadden gebaand, naar de rand van het land en een kort stuk het ijs van de baai op, waar het beste zicht op de zuidelijke horizon is.*

*Nooit is een aanblik meer welkom geweest, nooit heb ik zoiets moois gezien; de roze hemel, de zachte strepen geel erin, de gloed die oplichtte vanonder de weinige langsscherende wolken, de zon zelf, en dat alles weer gereflecteerd op het ijs eronder. Mijn woorden kunnen onmogelijk mijn vervoering van dat moment beschrijven, mijn vreugde dat de verwachte en zekere gebeurtenis waarin ik op de donkerste momenten bijna niet meer kon geloven, eindelijk was aangebroken, mijn intense opluchting die veel weg gehad moet hebben van die van de vrouwen die ontdekten dat de grafsteen was weggerold en ze een levende man zagen staan in de tuin van Jozef van Arimatea.*

Het beeld was voorbij binnen een paar minuten, toen de zon weggleed achter de kromming van de aarde, op dezelfde vreemde manier als hij was gekomen. Daarna barstte de opluchting in hem los. Hij spreidde zijn benen, stak zijn kruk stevig in de grond, haalde diep adem en schreeuwde het uit, een grote weergalmende schreeuw die al het ijs had kunnen verbrijzelen.

En toen.

Thomas Cave legt zijn pen neer en leest terug wat hij heeft geschreven. Er zit valsheid in de woorden, maar ligt die valsheid in de woorden zelf of tussen de regels?

Schrijven is net als praten een bepaalde manier van je uitdrukken, en zelfs als het waar is, is het toch niet de waarheid. Want hij heeft niet alles opgeschreven. Hij zal ook
niet alles opschrijven. Hoe de schreeuw wegstierf. Hoe de
laatste echo verdween over het land achter hem, terwijl
de kleuren de hemel verlieten. Hoe de vervoering verdween, en het vertrouwen er niet langer was. Hoe hij toen
moest huilen, telkens opnieuw, een ingestort mens.

Hij huilde totdat zijn tranen ijs werden.

Uiteindelijk pakte hij zijn kruk weer op en hobbelde
terug, en de pijn in zijn enkel bij het belasten ervan was de
enige plek waar leven in zat in al die leegte rondom en in
hem.

Stommerik, zegt hij tegen zichzelf. Stomme Cave, je
had het kunnen weten. Het licht van de zon is nog geen
lente. De winter is nog niet voorbij. Overleven hangt niet
af van de hemel maar vooral van het geduld van een man.


Zelfs toen de duisternis op zijn ergst was, heeft hij niet
zo'n grauwe eentonigheid gekend als tijdens die laatste
maanden van de winter. De dagen strekken zich uit, elke
dag bijna voelbaar langer dan de vorige, maar ze worden
niet warmer. De equinox komt en gaat voorbij, een dag
met een dusdanig koud onveranderlijk licht dat hij bijna
de duisternis terug wenst. Dat zijn ziel moge slapen, dat
de zon maar niet was gekomen om die te laten ontwaken.
Kon hij tijdens de lege dag maar op het ijs gaan liggen om
te slapen.

*1 april. Ik noteer hier dat volgens mijn kalender maart is
overgegaan in april, maar toch is er nog geen verandering,*

behalve dat het langer licht wordt. Kan dit inderdaad april zijn? Het woord april hield voor mij altijd hoop in, vreugde en lente en sappen die weer gaan stromen, maar hier in deze streek verdient de maand april die naam niet.

Ik leef. Ik heb voedsel voor nog een paar weken. De dagen worden langer, maar dat is alles. De tijd is steriel. Ik heb besloten dat ik niet meer zal schrijven totdat het leven erin zich weer roert.

## 14

Wit op wit.

De vos is moeilijk te zien, zelfs op drie meter afstand, niet meer dan een rimpeling van wit te midden van al het wit terwijl hij zoekt in de met sneeuw bedekte hoop botten en afval die in de winter buiten de tent is gegroeid. Thomas Cave maakt een val zoals hij die in het verleden wel heeft gemaakt voor de ratten aan boord, van gespleten balein dat sterk is, maar ook dun, buigzaam en veerkrachtig, en stopt er als aas stukken vlees in die ranzig zijn geworden in zijn opslagruimte.

De vos had honger. De volgende morgen zit hij in de val. Thomas hangt hem drie dagen op om te bevriezen en te drogen in de bijtende wind en kookt hem dan met pruimen en rozijnen. Hij pakt weer zijn dagboek en noteert wat hij heeft gedaan, evenals de smaak van het vlees. *Het vlees van de witte vos is taai en stevig, hard vlees maar wel vers.*

Het witte gefladder is een vogel in de sneeuw. Het is lang geleden dat hij een vogel heeft gezien. Hij weet dat het een alpensneeuwhoen is, herkent nu zijn vreemde ratelende roep. Hij heeft dit geluid de afgelopen dagen af en toe gehoord, een geluid dat bijna mechanisch is en ervoor zorgde dat hij over zijn schouder keek en nerveus werd. Een vreemde zachte witte vogel, die zich helemaal op zijn gemak lijkt te voelen in de sneeuw. Als hij stil zit, verraadt alleen de zwarte lijn die van zijn oog naar zijn snavel loopt hem. Hoewel Thomas zijn musket in zijn hand heeft, richt hij die niet op om te schieten. Er is te veel belofte in de aanblik.

Hij ziet nu ook vaker beren, in de buurt van de hut, maar ook in de verte als ze het ijs oversteken. Op heldere dagen zijn ze nu gemakkelijker te onderscheiden, omdat hun vacht vlekkerig en gelig afsteekt tegen de sneeuw. Er zijn beren alleen, maar ook paartjes, moeders met hun jongen, en als hij jaagt en een moeder doodt, is hij zowel verbaasd als onthutst bij het zien van de aanhankelijkheid waarmee het jong bij zijn moeder blijft en dan ook gedood moet worden, omdat het nooit de zijde van de moeder zal verlaten. In de loop van de winter heeft hij bewondering gekregen voor deze dieren, die zich door de meest ijselijke omstandigheden niet laten afschrikken en over grote afstanden lijken rond te zwerven. Soms komen ze vanaf de overkant van het ijs alsof ze over oceanen hebben geschaatst om het eiland te bereiken. Hij ziet dat ze zich bewegen als schaatsers, met lange glijdende bewegingen, en als het ijs begint te smelten, is hij verbaasd om te zien hoe licht ze in hun beweging kunnen zijn, als ze soms ontkomen aan zijn geweer door over ijs te gaan dat veel dunner is dan waar hijzelf over zou durven lopen.

Uiteindelijk wordt de dooi een waarneembaar proces, hoewel er toch nog dagen zijn, soms een week achter elkaar, met net zulke sneeuwstormen en kou als hij eerder heeft meegemaakt. Het is de lucht die hem als eerste vertelt dat het ijs buiten de baai begint te breken. Hij ziet de donkere strepen aan de hemel die door kapitein Duke waterlucht wordt genoemd, omdat door de intensiteit van de weerspiegelde kleur onthuld wordt waar de zwartheid van open zee is, in plaats van de bleekheid van ijs. Buiten is ook te zien dat de zee in beweging is gekomen, want dagelijks is hij getuige van de werking van het tij, als eb en vloed de druk op het ijs in de baai veranderen, waardoor het gaat kraken en bewegen en op sommige plaatsen openbarst. Hij ziet dat ijs ontbindt voordat het oplost, waarbij de structuur eerst zacht en sponzig wordt voordat het uiteenvalt en pap wordt. Als het breekt en er poelen ontstaan, dampt de blootgestelde zee stoom naar het zonlicht alsof het water eronder kookt.

Met het smelten komt een vale en vieze wereld die hij bijna was vergeten, langzaam weer naar boven. Er is zeewier, slijmerig en bijna zwart, dat de beren met hun klauwen opvissen op het strand, en vlekken miezerig mos. Hij ziet het karkas van een vos die moet zijn bevroren toen de winter begon en begraven werd onder de sneeuw. In het gebied rond de hut beginnen de onderdelen van het walvisstation zich weer te onthullen, en ook zijn eigen afval: niet alleen botten en restjes, maar elke drol die hij die winter naar buiten heeft gebracht en naast het pad heeft weggegooid. Als hij nu zijn hut nadert, wordt hij zich bewust van de stank, een stank die een vast onderdeel is geworden van zijn opgesloten bestaan, een kwalijk riekende en mannelijke lucht van rook en walvisolie en lang opgehangen vlees.

Als mei ten einde loopt zijn er lange kristalheldere dagen waarop de zon op zijn hoogste punt warm op zijn gezicht schijnt, alsof hij door zijn huid zou kunnen branden. Hij sluit zijn ogen voor het felle licht, geniet van de warmte op zijn oogleden, op zijn slapen en wangen, alsof het bot eronder ook wordt aangeraakt door de zon. Op een van die dagen, een dag die mooi is als de warmste lentedag in Engeland, doet hij eindelijk iets waar hij al weken aan loopt te denken. Hij trekt zijn kleren uit in de zon, niet alleen zijn laarzen, muts en vachten waar hij zich nu al vaak van ontdoet, maar ook zijn buis en broek, en ondergoed dat grauw en vlekkerig is en van hem af valt als oude fruitschillen. De huid die hij ontbloot is buitengewoon naakt onder het zonlicht, zo wit dat die bijna blauw lijkt waar de schaduwen onder knokige botten vallen, op sommige plekken donkerder gekleurd doordat zijn kleding telkens tegen de huid schuurde, die daardoor nu is vereelt. Hij observeert zijn lichaam bijna objectief; de bleke buik en de borst waar de ribben te zien zijn, zijn benen als stokjes met een warrige massa haren erop, zijn magere armen ingevallen bij de ellebogen, met handen die enorm lijken als hij ze voor zijn ogen draait, de donkere lijnen van vuil bij zijn polsen, die andere vuile streep die hij niet kan zien, maar alleen kan voelen waar de huid van zijn hals onder zijn baard zowel vet is als doordrongen van vuil.

Hij hult zijn naakte lichaam in een mantel en loopt naar een gat in het ijs niet ver bij het strand vandaan om zich daar voor het eerst te gaan wassen. Hij wrijft over zijn lichaam totdat elk deel ervan tintelt, en het is een bijzonder adembenemend genot. Hij pakt de mantel weer en keert terug naar de hut. Daar ligt ander ondergoed, schoon ondergoed. Maar eerst gooit hij een brede plank op een verblindend wit sneeuwtapijt bij zijn deur en gaat op het gladde hout liggen om zich heerlijk door de zon te laten drogen.

Als hij op zijn rug ligt, moet hij een hand boven zijn ogen houden om die te beschermen tegen het zonlicht. In zijn gefilterde beeld vliegen er constant vogels kriskras boven zijn hoofd. Er zijn nu erg veel vogels, die in enorme zwermen vliegen, duizenden vogels tegelijk die uit het zuiden komen en aan de hemel een band vormen die tot aan de horizon lijkt te reiken. Hij ziet ze eerst naderen als ontelbare zwarte stippen, als roetdeeltjes die in de rook van een vuur omhoog worden geblazen. Dan verwijderen ze zich van elkaar, maken zigzaggende bewegingen en voegen zich uiteindelijk weer samen. Hij hoort het verre kabaal van hun geschreeuw dichterbij komen, lang voordat hij de afzonderlijke vogels en het geklap van hun vleugels kan zien. Hij herinnert zich hoe verbaasd hij was toen hij de eerste zeevogels zag, een kleine zwerm die er plotseling was, als een geestverschijning, niet meer dan een kleine verzameling vogels die zat te kwetteren op een rots op de berghelling. Later die dag arriveerde een tweede groep, en nog meer in de daaropvolgende dagen, totdat na een week de berg en de gletsjer erachter helemaal overdekt waren met vogels. Ze bleven twee dagen en toen, net zo onverwacht als ze waren gekomen, waren ze ook weer verdwenen, en hij wist niet of dat nu kwam door een verandering in het weer die ze verdreef of een bepaald doel, een bepaald instinct dat zei dat ze verder moesten om te gaan broeden in een bepaald gebied dat nog verder naar het noorden lag.

Zodra het weer opnieuw opklaarde, kwamen er andere zwermen in hun spoor, eidereenden en zeekoeten en andere vogels die hij nog kende van de zee, en een enorme zwerm grijze vogels zo groot als duiven waarvan hij de naam niet kende, en hij was net zo vreemd voor de vogels als zij voor hem, want ze toonden geen angst voor hem en waren niet op hun hoede, waardoor hij ze bijna met zijn handen uit de lucht kon plukken of van de grond kon pakken. Hij liep ertussendoor op de plaatsen waar ze aan het nestelen waren, op de rotsen waar de sneeuw nu gesmolten was, en er waren er zoveel dat ze de hemel boven zijn hoofd verduisterden en hij niets anders kon horen dan alleen hun lawaai. De kleine duifachtige vogels waren niet veel bijzonders om te eten, zo weinig vlees zat eraan, maar hij gebruikte de karkassen als lokaas voor zijn vallen en ving er vossen mee, die nu in grotere aantallen rondzwierven, wat verbazingwekkend was omdat het solitaire jagers waren. Hij veronderstelde dat ze naar de kust werden getrokken door de aanwezigheid van de vogels.

*Nu de winter voorbij is,* schreef hij in zijn dagboek, *is hier zo'n grote hoeveelheid dieren en diersoorten dat het je verstand bijna te boven gaat, zulke aantallen die vanaf zee komen dat je het niet voor mogelijk zou hebben gehouden dat zoveel dieren sinds Noachs vloed zijn blijven voortbestaan en zich hebben vermenigvuldigd.*

Er kwamen nu ook rendieren, die tot aan zijn hut liepen en naar hem keken zonder een spoor van angst. Ze waren broodmager na de winter en nauwelijks de moeite van het doden waard. Hij wist niet waar ze vandaan kwamen, en vroeg zich verbaasd af waarom ze eigenlijk naar de kust waren gekomen, omdat er nog maar zo weinig voedsel voor ze te vinden was. De vegetatie was nog maar net ontdaan van sneeuw en was nog niet eens groen. Toch was ieder stukje bleek mos op de berghelling achter de kustlijn al gemarkeerd door de glimmende hoopjes van hun uitwerpselen.

Met een dergelijke overvloed om hem heen wist hij dat hij kon kiezen waarop hij wilde jagen, in de wetenschap dat wat hij nodig had om te overleven zo weinig was dat het verlies ervan in het niet viel. Hij zei in gedachten een dankgebed en herinnerde zich hoe Adam in het paradijs te midden van de dieren had geleefd en er een gewoonte van had gemaakt om niet meer te doden dan hij nodig had. Meeuwen doken zo dicht bij zijn hoofd dat hun vleugelpunten zijn haar raakten, maar hij deed geen poging om er een neer te slaan. Alleen hun eieren waren al voldoende om vijfduizend mensen te voeden. En dan waren er nog de zeehonden die kwamen kort nadat het ijs was gebroken, zodat ze een doorgang hadden. Ze kwamen in enorme kudden die samen speelden in het water en zich op het strand trokken, dampend en snuivend en elkaar verdringend als vee op een markt. Het gezelschap van de zeehonden deed hem meer dan dat van de andere dieren; een soort verwantschap die hem tegelijkertijd een warm en eenzaam gevoel gaf. Het kwam door hun grote mysterieuze ogen, die zo'n menselijke uitdrukking hadden als ze hun koppen boven het ijs uitstaken en hem gadesloegen. Ze maakten hem weer bewust van zichzelf, zoals hij dat niet meer was geweest sinds hij voor het laatst mensen had gezien.

Hij liep zo ver het ijs op als hij maar durfde, ging gehurkt voor een wak zitten en keek terug naar de zeehonden, oog in oog. Uiteindelijk begon hij fluisterend tegen ze te praten, gewoon omdat hij dat leuk vond, en toen op een dag een van de dieren zijn kop vlak voor hem uit het water stak en hem met een menselijke uitdrukking aankeek, begon hij hardop te praten. Hij begroette het dier en vroeg waar het vandaan kwam, en het draaide zijn kop om en keek hem opnieuw aan alsof er zich daadwerkelijk woorden vormden achter zijn ogen. Hij lachte toen om zijn fantasie en ging weer terug naar zijn huis. Later liep hij terug naar hetzelfde wak, maar deze keer had hij zijn viool meegenomen, die hij dan eindelijk van de pinnen in de wand had gehaald. Hij maakte de strijkstok gereed en stemde de onaangeroerde snaren zo goed mogelijk. Zeehonden hielden van muziek, zeiden de zeelieden. Er waren zeehonden in verhalen die een menselijke ziel hadden, en diep onder water waar mensen ze niet konden zien, dansten ze.

Hij stond aan de rand van het wak en speelde, zacht, in het begin een beetje aarzelend, de noten krakend doordat hij het instrument zo lang niet meer had gebruikt. Het was lang geleden dat hij voor het laatst had gespeeld, zo lang geleden sinds hij voor het laatst muziek had gehoord. Maar toch was de muziek er nog en kon hij die uit zichzelf naar boven halen. Hij speelde bij het lege gat en terwijl hij dat deed, kwamen de tranen in zijn ogen en stroomden ze over zijn wangen. Hij hield het instrument dichter tegen zijn borst en speelde harder, speelde nu van diep vanuit zichzelf, speelde om boze geesten uit te bannen. Plotseling was er gespat en dook er een zeehond op, die water spoot. Hij speelde door totdat zijn vingers pijn deden, en maakte een buiging in het daaropvolgende moment van stilte, en pas toen dook de zeehond en verdween.

*Door de aanwezigheid van de zeehonden is het alsof ik weer in een bewoonde wereld ben. Hun geblaf vervult de lucht, samen met het gejank van de jongen die nu geboren worden, en groeien en spelen aan hun moeders zijde tussen de rotsen op het strand. Het huilen van een zeehondenjong heeft meer weg van het gehuil van een mensenkind dan welke stem ook. Als meerdere jongen tegelijk keffen klinkt dat als kinderen die samen spelen, maar als een jong alleen en verdrietig is zou een mens het verschil niet horen met het angstgehuil van een mensenkind dat om zijn moeder roept. Ik ken geen enkel gehuil dat zo klaaglijk klinkt als het gehuil van een zeehondenjong dat zijn moeder kwijt is in de massa. Het ligt daar in een rotsspleet, met die afstand tussen hemzelf en de rest van de zeehonden die hij niet kent, en strekt dan zijn kop om dat zo menselijke en persoonlijke gehuil te laten horen, alsof hij een naam roept, uitsluitend bestemd voor zijn eigen moeder. Ik denk dat het gehoor van deze dieren heel scherp moet zijn. Ze schijnen ook te reageren op muziek en er zelfs onder water naartoe getrokken te worden en ervoor naar boven te komen, waar ze hun nek uitstrekken om te luisteren.*

## 15

Thomas Cave loopt tussen de zeehonden en óf ze zijn zich niet bewust van zijn aanwezigheid óf ze vertrouwen de man alsof hij een van hen is. De kolonie is onophoudelijk waakzaam; altijd steekt er wel een aantal koppen omhoog om in de gaten te houden of er mogelijk een bron van gevaar is, en de zeehonden aan de rand staan klaar om bij de geringste waarschuwing in het water te duiken vanaf een rots of een ijsschots. Het signaleren van een beer gaat door de massa lijven als een aardbeving en drijft in een oogwenk honderden zeehonden uiteen. Toch, zo merkt Thomas Cave, hebben ze nog niet geleerd wat hij weet: het gevaar dat schuilt in de mens.

Het lijkt wel alsof geen van de zeehonden zich nog de afgelopen zomer herinnert, toen de mannen van de Heartsease zich tussen hen begaven en honderden van hun soort op één dag knuppelden. En hoe op dagen waarop het ijs naar binnen dreef of de baai in mist was gehuld, de walvisjagers op de oever bleven en door de flarden mist tussen de zwartheid van rotsen en de vlekken sneeuw liepen, zich een weg baanden tussen de dichte kudden ouders en jongen en ze knuppelden, de een na de ander.

De zeehonden waren zo'n gemakkelijke prooi, het was zo gemakkelijk om ze met een enkele klap van de knuppel op de neus bewusteloos te slaan en dan af te maken met een mes, een jacht die meer weg had van het doden van een varken op een erf. Ze vilden de zeehonden op de plek waar ze ze hadden gedood en ontdeden ze van hun spek, tientallen, honderden per keer, en kookten al het spek tot traan, zodat het rond het walvisstation vet en rokerig was, ook al waren er geen walvissen te bekennen.

Het leek bizar dat zo'n slachtpartij op deze plek had plaatsgevonden. Het slachten, het koken van het spek dat hier plaatsvond, de roofzuchtige meeuwen en de stank van karkassen. Zelfs nu op die zeldzame en mooie dagen als de zon de restanten in de ketels en op de grond verwarmt, trekt een zweem van de stank opnieuw omhoog.

*Als de sneeuw zacht wordt en met water doortrokken raakt, verschijnt er een rode vlekkerigheid die zich erover gaat verspreiden. Dit heb ik de afgelopen jaren al opgemerkt, als we in de zomer kwamen en soms hele velden sneeuw aantroffen die aan de bovenkant rozerood gevlekt waren. Ik heb nog nooit iemand ontmoet die me kon uitleggen wat die vreemde verkleuring veroorzaakt.*

Hij kan het niet begrijpen en toch, uitgerekend dit jaar, lijkt het verschijnsel een zekere betekenis te krijgen.

Carnocks bulderende lach, die echode vanaf de hardheid van de rotsen.

'Ik zal jullie eens wat laten zien, jongens.'

Mijnheer Carnock, stuurman van de Heartsease, die zijn publiek naar zich toe trok als een man die een rariteit wilde vertonen op een jaarmarkt. Thomas had Carnock nooit gemogen, had hem van het begin af aan al beschouwd als een luidruchtige, snoeverige man, wat nog eens versterkt werd door de manier waarop hij paradeerde bij de boeg van de walvissloep terwijl die onder het klif doorvoer.

Een kleine groep zeehonden, achterblijvers die hun jongen laat hadden gekregen, op de rotsen van de punt, waarvan er een paar de zee in glipten toen de boot naderde. Er was een jong dat heel bleek was en witte vlekken had, nog geen meter lang, dat in het nauw werd gedreven in een ondiepe poel tussen de rotsen, zonder ruimte om onder de boot weg te duiken en zich te voegen bij de anderen die op hem leken te wachten in de open zee. Carnock gooide een net over het zeehondje en ving het levend, onbeschadigd.

'Dat is nog eens een mooie!' Hij trok het aan boord, hield het ondersteboven als een trofee, hield het bij de staart vast zodat de kop tegen de zijkant van de boot sloeg. Carnock was niet lang, maar wel sterk. Je kon de kracht in zijn schouders zien, zelfs door de manier waarop hij stond, breeduit en stoer.

Hij gooide het jong op de bodem van de sloep en zei tegen de mannen dat ze het dier stil moesten houden. Een man ging er schrijlings op zitten. Een ander hield zijn kop vast. De rollende ogen waren enorm, met witte randen.

Carnock was precies met zijn mes, sneed eerst achter

de oren en toen langs de buik en rond de staart. Iedere aanwezige had wel eerder gezien hoe een zeehond werd gevild, zelfs vele malen, maar nog nooit levend, en niemand had ooit zulk gejank van pijn gehoord. De boot schommelde terwijl het dier kronkelde in een poel van bloed en water.

'Zo kleine, daar ga je weer!'

De drie mannen slaagden er uiteindelijk in om het zeehondje overboord te gooien, terug in zee. Het zeehondje was zo glibberig zonder zijn huid dat ze het vele malen liet vallen. In het water strekte het zich en schoot weg om zich bij de andere te voegen, zijn kracht ogenschijnlijk onverminderd. De andere zeehonden kwamen naar hem toe en zwommen nerveus om hem heen, blaffend op zo'n vreemde manier dat als het water niet rood was gekleurd, het een vrolijke samenkomst had kunnen lijken.

Thomas Cave hoorde het gelach van de mannen om hem heen. Het was dom groepsgelach en hij sloot zijn oren ervoor. In hem heerste alleen een vreselijke stilte. Het enige waar hij aan dacht was aan de zeehond, een verminkt stuk spier dat maar bleef wegzwemmen met een spoor van bloed achter zich aan, één lange zwemmende wond, als een diepe wond in de zee zelf.

Als het ijs verdwijnt uit de baai vat hij de gewoonte op om naar zijn uitkijkpunt op de berg te klimmen om uit te kijken naar het schip, zoals hij dat eerder deed voor de zon. Op sommige momenten denkt hij dat hij zijn eenzaamheid geen dag langer kan verdragen, en zijn verlangen maakt van ijsschotsen zeilen en vormt schepen die er niet zijn. Toch is het soms een verademing als er een storm opsteekt, die hem net als in de winter binnen houdt, en hij daarna ziet dat het ijs weer is teruggekomen. Ook al verlangt hij naar het gezelschap van mensen, toch vreest hij tegelijkertijd hun terugkeer.

Rode vlekken op de sneeuw beneden. Een gehuil dat naar hem opstijgt, het gehuil van het jong van een zeehond of walrus. Het is als het gehuil van een baby.

Hij herinnert zich hoe het uiteindelijk kwam. De geboorte. De vroedvrouw die hem riep, waarop hij naar binnen ging. Het glibberige wezen in haar handen, een blind slap ding dat naar adem hapte als een bloederige vis in de lucht. Zijn moeder die ernaast lag te sterven, het bloed dat uit haar stroomde.

# HET VERHAAL

## VAN THOMAS GOODLARD

*Verteld aan de kust van Suffolk,*
*op twee zomeravonden in 1640*

In Duke's Cove

## 16

Die reis terug naar het Noorden verliep traag, traag alsof de Heartsease zelf geen zin had om erheen te varen. Ik herinner me dat ik de traagheid ervan vreselijk vond. Ik was nog zo jong, gretig door mijn jeugdigheid. Ik had de leeftijd waarop elke periode waarin niets gebeurde eindeloos leek te duren.

De winden waren vanaf het begin grillig, een kille tegenwind die plotseling opstak toen we het anker lichtten in Hull op een mooie morgen in mei, hoewel we een ander schip voor ons hadden zien wegglijden op hetzelfde tij. Twee dagen lagen we daarna stil voor de monding van de Humber, waarbij we de nachten doorstonden bij Paull Road en toen bij Clee Ness, en vanaf de lastige rivier uitkeken over land dat mistroostig oogde, zelfs in de stralende lente, met een dusdanig sombere vlakheid dat zelfs een grote torenspits aan de andere kant van het moeras niet kon zorgen voor een vriendelijker aanblik.

Langzaam kwamen we op zee, langzaam rond de gemene landtong die zich over de riviermond buigt, en we waren blij toen de golven kwamen, grijs na het troebele water van de rivier. Toch voelde ik, zelfs terwijl de zeilen zich bolden, een bedruktheid in mij als tijdens de saaiste windstilte, en ik vroeg me af of de anderen op het schip dat ook voelden. Ik kan niet zeggen of dat zo was. Misschien was deze reis voor hen net als alle andere, niets bijzonders, gewoon het leven dat doorgaat. Misschien was ik me er alleen zo sterk van bewust omdat ik nog steeds dat geld bij me had, zijn munten die ik dat hele jaar in mijn kist had bewaard als in een warme vuist.

De bemanning bestond grotendeels uit dezelfde mannen die deze reis hiervoor ook hadden gemaakt. Carnock was erbij, evenals dezelfde groep van een stuk of tien Basken die naar het zuiden waren gegaan, naar hun eigen volk, om daar de winter door te brengen, maar waren teruggekeerd naar Hull en naar Marmaduke. Een paar gezichten in hun groep waren misschien anders, maar ze hadden allemaal datzelfde donkere, magere en gespierde voorkomen, en ze hielden zich allemaal afzijdig van de rest. Er waren ook nog anderen, zeelieden, timmerlieden, kuipers, die ik kende van de vorige keer. Kapitein Duke had zijn zoon meegenomen, voor de eerste keer, een knaap die niet veel ouder was dan ikzelf, maar met een laatdunkende manier van doen en een vuur in zijn ogen waardoor ik wat terughoudend was tegen hem. Edward Marmaduke stond naast zijn vader op het dek. Hij leek sprekend op hem, alleen molliger, zonder het gedrongen postuur van zijn vader, en ondanks zijn jeugd en onerva-renheid — of misschien wel juist daardoor — leek hij op ons neer te kijken en richtte hij zijn blik op de vlakke lijn van de horizon alsof hij precies wist wat daarachter lag.

Naar het Noorden voeren we, langs de kust voorbij het

hoge klif met daarop de kerk van Whitby, dicht langs de grote Bass Rock die wit glinsterde door alle meeuwen daar, langs de sombere kust van Schotland en over open zee naar de Shetlandeilanden, waar we nog een paar laatste bemanningsleden erbij kregen. Ik heb die route later zo vaak afgelegd dat ieder oriëntatiepunt in mijn geheugen staat gegrift, maar ik geloof niet dat ik me ooit zo sterk bewust was van ieder traject van de tocht als op die tweede zorgelijke reis. Mijn blik hield elk opeenvolgend stuk land vast, maar tegelijkertijd wilde ik dat het achter me lag, wilde ik dat de reis voorbij was. Er was niet alleen verlangen maar ook angst in de gedachte aan het ijs en de noordelijke zeeën, aan de kou en de mist en pracht, de pure onmogelijkheid van een landschap waarvan de vormen als de toppen en dalen van golven zijn, maar dan hard uit rotsen en ijs gevormd. Zelfs al ben je ooit in het Noorden geweest, dan nog lijkt het niet meer werkelijk als je daar eenmaal weg bent, de mysterieuze sfeer een fantasie en misleiding van de zintuigen. Nog minder waarschijnlijk is de gedachte dat een eenzame man het in een dergelijke streek zou overleven.

We spraken niet over hem, over de man aan wie ik moest denken. Maar telkens als ik voor me uit keek, als een wolk de zee loodgrijs maakte of als de zon tevoorschijn kwam en de zee liet glanzen als zilver, had ik zijn gestalte in mijn achterhoofd als een beeld dat ik niet kon wissen. Opnieuw zeg ik dat ik niet wist hoe het met de anderen zat, maar ik weet wel dat hij de hele dag en in de benauwde duisternis van de nacht bij me was. Ik geloof dat hij ook kapitein Marmaduke bezighield, want nog nooit had ik hem zo ongeduldig meegemaakt als tijdens deze reis. Vanaf het moment dat we de haven verlieten, zelfs vanaf het moment dat we gingen inladen, had hij stampend over het dek gelopen om ons op te jagen, waarbij hij vloekte en tierde over elk onbeduidend oponthoud. Terwijl die kleine, sterke donkere man zo blazend en stampend rondliep, vond ik hem lijken op een kleine zwarte stier in een hok. Degenen die hem het beste kenden zeiden dat het niets voor hem was om zo gespannen te doen. We mochten onderweg niet eens bijdraaien, wat toch het gebruikelijke patroon was, om wat zeehonden te vangen, hoewel we in het heldere water grote aantallen zagen nadat we de Shetlandeilanden hadden verlaten. Nee, hij joeg ons op. Een zuidenwind was een ondubbelzinnig geschenk van God voor de Heartsease en het zou zonde zijn om dat af te wijzen. We moesten onder vol zeil varen en zelfs als de wind ging liggen, zoals dat tijdens die reis af en toe gebeurde, of wegviel zodra we hem achter ons hadden, dan nog moesten we koers zetten in die richting en geen andere. Dat zorgde voor onvermijdelijk gebrom onder de mannen, gemopper waardoor de stemming aan boord af en toe onaangenaam was, maar niemand verzette er zich hardop tegen. Het was denk ik ook voor de anderen wel duidelijk waar Marmadukes frustratie uit voortkwam; dat hij niet zozeer werd gedreven door de vereisten van de walvisjacht, maar door de simpele noodzaak om te zien of zijn man was omgekomen of niet.

Toen we bij de grote fjord aankwamen, was die nog steeds geblokkeerd door ijs. We wisten al van het ijs nog voordat we er waren, want de uitkijk in de mast had een dag ervoor al de weerspiegeling ervan gezien op de wolken erboven. Voor diegenen met ervaring met het Noorden ziet een bevroren zee er als volgt uit: een witte glans op de onderkant van de wolken, alsof ze worden beschenen door een scherp licht eronder.

Als Cave er niet was geweest, waren we misschien meteen omgekeerd om naar de westelijke kust te varen, waarvan we wisten dat die ijsvrij was. We hadden al walvissen op zee gezien, hadden ze horen blazen en hun gespuit in de verte gezien; er was alle hoop op een goed seizoen. In plaats daarvan zeilden we langzaam langs de rand van dit ijs, waarbij we elke mogelijke opening probeerden, uitkeken naar een doorgang en hoopten dat het ijs snel zou verdwijnen. Na een paar dagen zagen we twee walvisschepen uit Amsterdam, die op ons afkwamen vanuit de richting waarin wij voeren. Geen schijn van kans, zeiden ze, de westenwind zorgde ervoor dat het pakijs alleen maar compacter werd met elke dag die verstreek. Ze gingen in zuidelijke richting naar Jan Mayen. De wetenschap dat als het ijs ons tegenhield, het dus ook de walvissen wel zou tegenhouden, was misschien een troostrijke gedachte, zeiden ze. Kapitein Duke schreef dat toe aan de zelfgenoegzaamheid van de Hollanders en zeilde rusteloos verder, klom zelf de mast in en bracht daar onverzettelijk ijskoude uren door, gehuld in zeildoek, op de uitkijk naar een opening in de bevroren oceaan of enig teken daarvan aan de hemel. Dat waren vreemde dagen, eindeloze dagen, want het was toen al eind juni en we waren ver naar het noorden. Vaak was er mist, een fijne mist met ijskristallen erin die je in je neus voelde als je ademhaalde. Er was weinig zicht en we konden niet veel anders doen dan wachten. Maar ineens klaarde het op, zodat we heel ver konden kijken. De zon scheen dag en nacht boven de horizon en wierp vreemde kleuren en lange schaduwen over het ruwe ijs. Af en toe strekte de kruipende schaduw van de Heartsease zich mijlenver uit, haar zwarte romp, haar drie masten, zelfs de gestalten op haar dek, en nog nooit had ik het gevoel gehad dat het schip zo klein en onbeduidend was, klein als een kever die nerveus verder ploetert langs de rand van die bevroren ijsvlakte. Ook al was ik jong, toch had ik een groot besef van de nietigheid van de mens en de onbeduidendheid van al zijn werken. Dat is wat het met je doet, een gebied zoals dat.

De storm die toen kwam was bijna welkom. Stormen komen daar snel op, het weer is net als het verstrijken van de uren veel intenser dan in ons gematigde land. Er was nauwelijks tijd om weg te varen tot op veilige afstand van de rand van het ijs en de storm daar te doorstaan. Niet meer dan een dag, maar het was als een dag in een strenge winter, met wind en sneeuw als messen en een zwarte zee met huizenhoge golven. De Heartsease was breed en stoer als de ark van Noach en we baden tot God dat Hij ons zou behoeden. In elkaar gedoken binnen de zware houten wanden van het schip voelden de storm en luisterden ernaar. En daardoorheen, onder het gehuil van de wind en het slaan van de golven, dachten we gedonder te horen dat het kraken van het ijs moest zijn. Toen we weer aan dek kwamen, moesten we ontzet toekijken hoe grote stukken ervan samen met de golven op ons afkwamen.

De ochtend brak aan en de lucht was stil, hoewel het schip bleef bewegen door de kracht van de storm. Ik had uiteindelijk een paar uur geslapen en toen ik weer aan dek kwam, was het alsof er sprake was van tovenarij, want de fjord vóór ons lag ineens open. De massieve ijsvlakte die we de dagen daarvoor zo goed hadden leren kennen, elke inham, elk schiereiland en elke verheffing ervan, dat alles was verdwenen, en in plaats daarvan zagen we nu een donkerblauwe gezwollen zee waarin grote brokken ijs dreven, recht afgebroken ijs met glazige tinten turkoois en groen in het licht. We deden een gebed en begonnen aan een langzame doortocht naar het noorden, naar het gebied dat we Duke's Cove noemden – het heeft zelfs nu nog die naam, hoewel het soms door de Hollanders wordt verbasterd tot Dusko of Disko. We kwamen maar langzaam vooruit, omdat de zee nog steeds gezwollen was en het gebroken ijs een gevaar voor ons vormde. Een deel ervan dreef onder water en was op een spookachtige manier onder het oppervlak zichtbaar, zodat uitkijkposten constant moesten waken voor een botsing die schade aan de boeg zou kunnen veroorzaken.

Opnieuw hoorden we walvissen, en we zagen dat ze zich verplaatsten door het water, maar ze waren nog te ver om erop te kunnen jagen. Soms konden we helemaal over de fjord heen kijken, zo'n dertig mijl of meer, naar de woeste donkere rotswanden en pieken aan weerszijden, hun zwarte en paarsige rotsen kaal sinds de storm de sneeuw eraf had geblazen, hoewel er nog wel sneeuw lag in de ravijnen en valleien en op de gletsjers. Toen trok er ineens mist de baai in vanuit de zee-engte en de wereld leek plotseling te krimpen tot de vertrouwde wereld van hout en canvas, Engelse mannen en water, en ik kreeg het gevoel dat ik een beeld had gezien dat nooit had bestaan. Die mist omhulde ons net toen we de baai naderden waar we Cave hadden achtergelaten, maar kapitein Duke durfde het niet te riskeren om het schip dicht bij de kust te brengen, maar vroeg om vrijwilligers die met een van de sloepen moesten gaan kijken of hij nog in leven was.

Ik stapte naar voren samen met nog zes anderen, onder wie Ezkarra de Baskische harpoenier, en Marmadukes zoon Edward, hoewel zijn vader het eerst verbood en zei dat hij moest wachten en samen met de rest aan land mocht zodra dat mogelijk was. Maar Edward drong er bij hem op aan – hij was iemand die altijd zijn zin wilde hebben – totdat zijn vader erkende dat het tochtje avontuurlijk maar niet gevaarlijk was. De laatste man die naar voren stapte om met de boot mee te gaan, maar pas toen die al was neergelaten in zee, was Carnock, en het leek terecht dat hij erbij zou zijn.

We roeiden langzaam door flarden mist, waarbij de riemen soms tegen ijsschotsen sloegen. Het water was vreemd en groenig op plaatsen waar licht op viel, en het ijs was donker en kleurloos. Toen we het land eenmaal zagen, doemde dat hoog boven onze hoofden op. De kliffen en rotsen leken zo hoog en onbekend dat ik me even afvroeg of we wel op de juiste plaats waren, of dat we misschien voorbij het juiste punt waren gevaren en nu bij een andere, onbekende baai verderop aan de kust waren beland. 'Dat is het, daarginder. We trekken daar de boot aan land.' Carnock wist het. Hij was daar heel wat meer seizoenen geweest dan ik. Met een vriendelijkheid die ik niet van hem gewend was, nam hij er de tijd voor om mij uit te leggen dat de ogenschijnlijke hoogte van het land een bedrieglijk effect van de mist was.

Misschien hadden we allemaal wel het gevoel dat we nog wat tijd over hadden, toen we uiteindelijk aan land gingen in die grijze en melancholieke stilte. Terwijl de boeg van de boot aan de grond liep, nam de man voorin een grote sprong over de laatste golven en trok ons het strand op. We kwamen langzaam achter hem aan, de een na de ander. De mist liet een gedempt licht door en overal waar de zee was geweest, leek het alsof er meel op de grond lag, met daarnaast een poederachtig laagje fijne nieuwe sneeuw.

'Welke kant is het op?'

Degene die sprak deed dat haast fluisterend, maar toch had onze hele groep de vraag gehoord.

'Hier, naar rechts. Kijk, we zijn iets verder dan onze gebruikelijke plek op de kust geland.' Carnock leek van ons allemaal het beste te weten waar hij was, en zijn brede gestalte leidde ons langs het strand en daarna omhoog.

We volgden in een losse rij als een touw met knopen en liepen met onvaste passen, doordat we zo snel aan land waren gekomen. We keken om ons heen, struikelden over kiezels en stenen die met sneeuw waren bedekt. Marmadukes zoon liep vlak voor mij, stopte toen en wachtte even tot ik naast hem liep, om te zeggen wat hij kwijt moest.

'Wat een land! Ik had nooit gedacht dat het zo'n troosteloos gebied zou zijn.'

'Het is nu troosteloos, maar wacht maar tot je het ziet als de mist is opgetrokken.'

'Zo koud, en de mist is zo dicht dat je bijna niets kunt zien. Het lijkt hier wel verdoemd.'

'Wacht maar af,' zei ik, 'tot je het op een zonnige dag ziet. Dan is het echt mooi, een en al kristal, echt adembenemend.'

Hij wendde zijn blik af alsof hij me niet geloofde, liep door, stopte toen en keek opnieuw om.

'Was jij hier vorig jaar ook, en kende je die Cave?'

'Dat was de eerste keer dat ik hier was.'

'Was hij niet bang, om te doen wat hij deed? Ik zou hier nog geen dag alleen willen zijn!'

Hij zei dat zo fel dat de mannen over de hele rij het gehoord moesten hebben. [Terugkijkend, met de wetenschap wat er later zou gebeuren, vraag ik me af of het niet een soort voorgevoel in hem was waardoor die eerste indruk van het land werd versterkt.]

Wie het ook had gehoord, niemand gaf antwoord. Een tijdlang werd er niets gezegd, maar waren de enige geluiden een gemompelde vloek als een man struikelde, het gestamp van onze laarzen en het klotsen van de zee die zich achter ons bevond en intussen was verdwenen in de mist. De traankokerij doemde langzaam op. Eerst herkende ik die niet, omdat we er vanuit een ongewone hoek op af liepen. Alles was zo stil, omhuld en rustig.

'Daar! Daarginder! Is dat het?'

Edward praatte hard en de plotselinge helderheid van zijn stem schokte me als een schreeuw in de kerk. Was hij dan niet bang, had hij geen respect? Of was angst de drijfveer van zijn opwinding?

Er waren geen tekenen die wezen op een levende man.

Niets was er verstoord, geen voetafdrukken naast die van onszelf, geen sporen in de sneeuw behalve de dunne pootafdrukken van vogels. De hut stond voor ons als een grote vierkante graftombe.

En toen hoorden we iets wat mijn gehoor eerst hield voor het geluid van de wind, een vreemd effect van de wind ondanks de stilte om ons heen; mijn fatalisme was zo groot dat ik dit al dacht nog voordat mijn bewustzijn het geluid herkende als datgene wat ik natuurlijk wel wist wat het was: het geluid van een viool.

Ezkarra trok het kruis tevoorschijn dat hij om zijn hals droeg en kuste het, waarna hij fluisterend en met knarsende stem een gebed uitsprak.

'Luister, jongen, je vriend leeft dus toch nog.'

Hij hield het kruis voor mij zodat ik het ook zou kunnen kussen. Het was een simpel, primitief uitziend kruis dat hij zelf had gemaakt van walvisbot, waarin hij een lange en misvormde Christus had gegraveerd. Ik voelde een plotselinge aandrang om dat gebaar te maken, hoe vreemd het ook voor me was.

En toen sprak Carnock duister, waarmee hij ons allemaal bang maakte: 'Behalve als het zijn geest is.'

Het was geen geest, maar hij was wel veranderd. Hoe erg hij veranderd was, zou ik na verloop van tijd ontdekken. Op dat moment waren de veranderingen die ik in hem zag alleen lichamelijk: wat was hij mager geworden, wat bungelden zijn handen langs zijn lichaam, wat zag hij er oud uit, en wat was zijn blik leeg.

Hij zag ons niet toen we binnenkwamen. Zijn rug was

naar ons toe gekeerd, zijn hoofd gebogen, zijn lichaam wiegend op de maat van de muziek — een soort rustige klaagzang. Het was bijzonder om te zien hoe huiselijk het er was; de aanblik van een man die zijn muziek speelt bij lamplicht in een warme kamer, een vuur in de stook-plaats, een geboende tafel met daarop de restanten van een maaltijd, een hoog bed bedekt met vachten, een mooie geborduurde doek aan de wand. Toen hij ons zag, of liever gezegd onze aanwezigheid voelde, want hij draai-de zich niet onmiddellijk om, liet hij de viool zakken en zei zonder enige toon van verbazing: 'Aha, daar zijn jullie dan.'

Hij zou hetzelfde gezegd kunnen hebben als we een week of een ochtend weg waren geweest.

'Waar bleven jullie zo lang? Ik had jullie al veel eerder verwacht.'

Hij zag er tien jaar ouder uit in plaats van één winter. Ouder dan mijn vader, die ik met Pasen nog had gezien. Op dat moment vond ik hem ouder dan welke oude man ook die ik ooit had gekend. Hij was oud als een apostel of een profeet, uitgehouwen in de deur van een kerk. Zijn haren en baard waren lang en dof, de lijnen in zijn gezicht diep en geëtst met vuil, zijn handen die het instrument vasthielden mager en knobbelig, hijzelf uitgemergeld. Thomas Cave was daarvoor al mager geweest, maar nu was hij knokig, zijn hoofd en handen, de voeten die hem op de grond hielden, alles leek te zwaar voor het geraam-te dat hem overeind hield.

Hij bewoog die lange ledematen met een vreemde voorzichtigheid, alsof ze heel breekbaar waren, alsof hij een heiligenbeeld was dat net tot leven was gekomen. Hij keek naar ons zonder verbazing, schok of herkenning, en legde de viool zacht op de geboende tafel met de strijkstok ernaast. Het viel me op hoe schoon de tafel was, hoe netjes alles was in de hut, en ik vroeg me af of hij die had schoongemaakt omdat hij ons had verwacht. Alleen het plafond boven onze hoofden was niet geveegd. De dakspanten en de schoorsteenkap waren bedekt met grote zwarte roetvlokken, en terwijl we daar zo stonden, maakte de tocht die door de open deur naar binnen kwam dat ze omlaag dwarrelden als bladeren van de bomen in het bos en de tafel en vloer bedekten. Met een knokige hand streek Thomas Cave een ervan weg die in het warrige haar op zijn voorhoofd was blijven hangen, en voor het eerst kreeg zijn gezicht nu uitdrukking. Ik geloof dat hij glimlachte.

## 17

Hij wilde die nacht niet bij ons aan boord van het schip komen slapen, maar stond erop om in zijn hut te blijven. Dat leek ons eenzaam, maar we konden zien dat die zijn huis was geworden. Hij had ons zo goed mogelijk zijn gastvrijheid aangeboden: een mok water die we rond moesten laten gaan en een bord met machtige zwarte stoofpot van hertenvlees. We hadden er uit beleefdheid van gegeten, hoewel het eigenlijk tamelijk smerig smaakte. Toen we weggingen, zeiden we dat we de volgende dag terug zouden komen met bier en wijn en wat hij verder maar wilde, en dat we hem dan mee zouden nemen om het schip te bezoeken.

Terwijl we sliepen veranderde de wind, waardoor de mist verdween en het tij het laatste ijs verdreef van het strand. De volgende dag was net zo verschillend van de dag ervoor als twee dagen maar van elkaar kunnen verschillen: helder op de manier die zo typerend is voor het Noorden en zoals ik nergens anders heb meegemaakt, helder met dat bijzondere, scherpe, glasachtige licht. We brachten de Heartsease een stuk verder en gingen zo dicht bij de kust als we maar durfden voor anker. Thomas

Cave zei geen woord toen we hem erheen roeiden, maar staarde naar het schip en keek om zich heen als een kind in een nieuwe omgeving.

'Is dit hetzelfde schip als waarmee ik ben gekomen?' vroeg hij uiteindelijk. 'Het ziet er zo groot uit.'

Het leek nog groter naarmate we dichterbij kwamen, met zijn robuuste romp die boven ons uittorende in het water. De langzaam verdwijnende kou had elk oppervlak bedekt met een dikke laag rijp; het dek, de opgerolde zeilen, de tuigage glinsterend van de rijp, en in de lucht boven het schip schitterden kristallen die verdwenen zodra er zonlicht op viel.

'Zo, het lijkt wel een eiland.'

Hij klom aan boord en Marmaduke begroette hem warm en omhelsde hem, waarna hij hem meenam naar zijn hut. Hij had het boek bij zich waarin hij alle bijzonderheden van zijn overleving had opgeschreven, een logboek omwikkeld met doek dat hij al die tijd dat wij hem naar het schip roeiden dicht tegen zijn borst gedrukt hield. Ik weet niet wat erin stond, hoewel ik dat in die tijd graag had willen weten. Ik verlangde naar verhalen, naar het verhaal van zijn avontuur dat hij nooit aan mij zou onthullen. Ik neem aan dat het boek dat hij aan de kapitein gaf alles bevatte wat hij ooit zou zeggen over zijn ervaring.

'Zag je hoe hij dat boek tegen zich aan klemde? Dat had iets krankzinnigs.'

Marmaduke kwam urenlang niet naar buiten en wij werkten door zonder hem, heen en weer van het schip naar het strand, om onze goederen aan land te brengen, en alle zware benodigdheden voor onze werkzaamheden van die zomer. Het heeft iets van het bouwen van een kleine stad, een walvisstation opzetten, al die vaten en gereedschappen, takels, bakken en koperen kookketels.

'Zag je hoe hij naar ons schip keek? Hij mag het dan hebben overleefd, maar hij is wel een beetje gek geworden. Er is iets in hem bevroren.'

'Toen we bij hem kwamen, dat eerste moment waarop hij ons zag, had ik het gevoel dat hij helemaal niet blij was. Ik dacht dat hij ons eigenlijk niet wilde zien.'

'Natuurlijk wel, zou iedereen dat niet willen? Hoe kun je daaraan twijfelen?'

Opnieuw roeiden we leeg terug naar het schip, door water dat zo helder was dat we de schaduw van onze sloep op de zandbodem konden zien. Ieder van ons had Cave gadegeslagen en piekerde over hem.

'Ik weet wat je bedoelt,' zei een ander. 'Het lijkt onzin, maar het kwam door de manier waarop hij keek toen we binnenkwamen. Die lege blik in zijn ogen.'

'Hij is een beetje gek. Wie zou dat niet worden in dergelijke omstandigheden?'

'Hij was van het begin af aan al gek, als je het mij vraagt, gek om te zeggen dat hij zoiets zou doen.'

'Cave is niet gek maar verblind.' Joseph Hailey wist meer van de noordelijke zeeën dan wie van ons ook, op Marmaduke na, want hij had daar al meer dan tien jaar gevaren. 'Ik heb die blik in de ogen van een man al vaker gezien. Ooit ben ik met een Deens schip naar het westen van Groenland geweest, en daar is een stam van donkere, sterke jagers die weten hoe ze te midden van het ijs moeten leven. Ik zag bij hen hetzelfde, bij mannen die alleen waren aan de kust waar we aanlegden, mannen die al heel wat dagen weg waren bij hun eigen mensen. Ik denk dat het een soort sneeuwblindheid is, als je voor je uitkijkt en alleen maar witheid ziet. Ze zeggen dat het in die streken soms gebeurt dat als iemand het in erge mate heeft, hij wegloopt voor iedereen die hij tegenkomt, weg in de witheid, en nooit meer wordt gezien.'

Gek, verblind, maar toch hadden we de bewijzen van zijn gezonde verstand voor onze ogen gezien: de netheid van zijn hut die toonde hoe geordend zijn leven was geweest in al die maanden van zijn kluizenaarschap, de manier waarop hij kookte, het schoenmakersgereedschap en de stapels houten hakken die hij had gemaakt en waarmee hij een heel vat zou kunnen vullen als we uiteindelijk zouden terugkeren naar huis. Dan was er nog zijn kennelijke lichamelijke gezondheid, ondanks dat hij zo broodmager was, en al die bewijzen van zijn jacht: de grote berenhuid die hij had schoongeschraapt en op stokken had uitgespreid om te drogen, een huid die groter was dan ik ooit had gezien, het dikke bont bijna boterkleurig in dat heldere en smeltende daglicht, en de vele botten en karkassen van andere dieren die verspreid lagen, dicht bij de hut maar ook verder weg, waar hij had geslacht had.

Ik vraag me nu af of de waanzin die we op die dag in hem meenden te zien niet een afspiegeling was van de angst in onszelf. We keken naar hem en zagen niet Thomas Cave, maar stelden ons alleen de kou, de duisternis en de eenzaamheid voor, en dachten niet dat wij dat hadden kunnen verdragen. Ik had niet kunnen zeggen welke van deze drie verschrikkingen het ergste voor mij zou zijn geweest.

Het zou gemakkelijker zijn geweest voor ons als hij ons verhalen had verteld. Woorden, onze Engelse woorden, zouden alles wat we ons verbeeldden hebben teruggebracht tot realiteit. Het wonder van zijn overleving zouden we dan verdeeld over verhalen hebben gehoord en kunnen bevatten. Maar hij besloot om er niet over te praten, of misschien kon hij niet de juiste woorden vinden. Hij had het alleen over praktische zaken. Zo vertelde hij ons over zijn ontdekking dat de plek waar wij nu waren, waarvan we dachten dat het een uitloper van Groenland in oostelijke richting was, in werkelijkheid een eiland was. Hij wees omhoog naar een punt waar we op een heldere dag heen zouden kunnen klimmen om dit feit zelf te constateren. Hij vertelde ons waar je bepaalde kruiden en grassen kon vinden tussen de mossen op de berghellingen. Hij wist intussen meer van de grillen van het noordelijke weer dan de meest ervaren zeelieden, en kon plotselinge weersveranderingen voorspellen. Toch vertelde hij ons die dingen alleen omdat ze verband hielden met het heden, zonder ooit te verwijzen naar wat er allemaal was gebeurd. Het enige wat we konden doen was ons verbazen en ernaar raden.

'Jij moet het hem vragen, Goodlard, met jou wil hij wel praten,' zeiden de anderen tegen mij. 'Vorig jaar hebben we immers gezien dat jij als een zoon voor hem was.'

Ik probeerde het, geloof me. Mijn nieuwsgierigheid was net zo groot als die van de anderen. Maar Cave leek ons niet te horen, keek vanaf een afstand langs ons heen en deed er het zwijgen toe. Zelfs nu, nadat ik tamelijk lang zijn metgezel ben geweest na onze terugkeer in Engeland, kan ik nog steeds niets vertellen over wat hij die winter allemaal heeft meegemaakt. Ik kan zelfs niet zeggen welke verwonding ervoor zorgde dat hij een beetje mank liep, iets wat hij altijd zou blijven doen. Waarschijnlijk had hij een verwonding aan de enkel of knie van zijn rechterbeen opgelopen, waardoor hij nu een beetje kreupel liep. Ik dacht dat het net zoiets was als de mankheid van Jacob nadat hij met God had geworsteld in zijn droom en God hem had geraakt. Een merkteken van God, dat had hij volgens mij.

## 18

Door de manier waarop ik nu praat, lijkt het alsof Thomas Cave die hele zomer constant in mijn gedachten was. Dat was natuurlijk niet zo. Ik vertel alleen wat mijn geheugen selecteert en wat interessant lijkt om te vertellen, de dingen die opvielen en kenmerkend waren voor dat ene seizoen van de vele die ik daar in de Groenlandse wateren heb doorgebracht. De waarheid is dat ik me na een paar dagen niet meer zo met Cave bezighield, nadat we hem levend hadden aangetroffen. Hoe had ik dat trouwens gekund; er waren daar zoveel andere dingen die alle aandacht van mijn zintuigen vroegen.

Ik weet niet of jullie ooit een walvis hebben gezien. Het is een beest van een dusdanige grootte dat je je dat alleen voor kunt stellen in de uitgestrektheid van de oceaan. Op het land lijkt een walvis monsterachtig en vreemd. Hebben jullie ooit het verhaal gehoord over de walvis die nog maar een paar jaar geleden de rivier op kwam in de buurt van Ipswich? Het was onverklaarbaar hoe hij daar terecht was gekomen, en de mensen uit de omgeving hoorden erover en trokken massaal naar de riviermond. Ze kwamen in boten en liepen door de modder als het tij laag was, met alle mogelijke wapens die ze maar konden vinden: speren, zwaarden, geweren, hakmessen, kapmessen en bijlen. Ze probeerden het dier te doden terwijl het ronddobberde in het weinige water dat er voor hem nog overbleef om in te zwemmen, maar slaagden er niet in om hem een doodsteek toe te dienen. De walvis stierf pas toen ze een anker in zijn ademgat staken en er bloed uit spoot, als water uit een pomp, en iedereen die op de rivier was, werd rood alsof ze in een slachthuis werkten. Toen sneden ze hem in duizend stukken, zodat iedereen die een paar centen had om ervoor te betalen, een stuk mee naar huis kon nemen. Sommigen aten het vlees op, terwijl anderen het bewaarden als een bijzonder aandenken aan een wonderbaarlijke gebeurtenis. Voordat ze de walvis in stukken sneden, was een man nog zo slim geweest om hem te meten, en hij was bijna achttien meter lang en vier meter hoog, met een afstand van een halve meter tussen de ogen.

Neem dat in gedachten en stel je dan de walvissen voor zoals ze zijn in hun eigen element, in het water, walvissen van die afmetingen en nog groter, die in het Noorden de brede zee van de grote fjord in zwemmen. We konden ze zien vanaf de rotsen van de landpunt, de sporen zien die ze in het water maakten, waterstralen alsof er fonteinen de lucht in schoten, hun zwarte ruggen als ze naar de oppervlakte kwamen, hun grote glanzende staarten als ze daarmee op het water sloegen met een geluid als het knallen van een zweep dat mijlenver droeg. Ze zwommen in kudden, grote aantallen zoals je normaal grote scholen vissen ziet, meer waterstralen en staarten dan je kon tellen, en veel ervan kwamen in de kalmte van de baai alsof ze van plan waren daar de hele zomer te genieten en te spelen, zonder het besef dat de Heartsease daar op ze lag te wachten.

De eerste walvis werd binnen twee dagen na onze komst gedood aan de mond van de baai. Drie boten sleepten het dier terug naar het schip, met de buik omhoog drijvend en met rode wolken bloed achter zich aan. Het was een enorm oud beest waarvan de gerimpelde huid vol zeepokken en luizen zat. Het werd aan de achtersteven vastgebonden, nog steeds drijvend, en we lieten het daar een dag liggen voordat we aan de taak van het slachten begonnen.

Dat slachten is een karwei van een dusdanige omvang dat je het je niet kunt voorstellen als je alleen maar varkens of vee hebt geslacht; werk dat je meer kunt vergelijken met de vereende krachten van mieren als ze een grote kakkerlak naar hun nest slepen, of een stukje vlees dat twintig keer groter is dan zijzelf. De ontmanteling en verplaatsing naar het strand van de stukken van een dier dat bijna zo lang als een schip kan zijn, een buit die niettemin uittorent boven de mannen die eraan werken, erover lopen en glibberen op zijn huid, die erin snijden met grote messen die in verhouding niet groter lijken dan spelden. De blubber ligt meteen onder de harde zwarte huid, een brede laag gelig spek. Als je er scherp en zijwaarts in snijdt, zoals een slager het vet van een stuk vlees snijdt, dan kun je het er helemaal afhalen, zo mooi dat je het zo zou willen eten, boterkleurig en zuiver. Het spek ruikt neutraal, behalve als je het in de warme zon laat liggen, want dan gaat het snel rotten en verspreidt het een stank die zich net als zijn vettigheid hecht aan alles wat ermee in aanraking komt.

Voor dat snijden is een vaardigheid nodig die we flensen noemen, net zoiets als de vaardigheid van een meesterslager, en het was een van de Basken die dat werk deed, een kleine donkere man met O-benen die blootsvoets op de walvis liep en nooit uitgleed. Cave, altijd goed met zijn handen, werkte veel met hem samen. Ik zag dat soms, zag hoe die twee samen, de lange en de kleine, vorderden langs het lijf van het beest dat in het water dreef en zij blokken van de walvis sneden; lange stukken spek als grafstenen, en druipend van de olie. Soms was Cave er niet en werkte de Bask alleen of hielp een van ons hem in Caves plaats. De stukken spek gooiden ze omlaag in zee om aan land te worden gebracht, en daar sneden we ze kleiner, vergaarden die stukken weer en gooiden ze vervolgens in een grote kuip die aan een takel hing en heen en weer ging tussen de hakbanken en de ketels op de vuren. Probeer je dat eens voor te stellen in een omgeving van een koude pracht die je alleen aan die noordelijke kusten kunt aanschouwen: de nietigheid van de mensen en de lelijkheid van hun hulpmiddelen, de rook, het roet, de alomtegenwoordige olie en de doordringende stank ervan, en daarboven de vraatzuchtige zwermen vogels die ons in iedere verwerkingsfase vergezelden, de meeuwen die rondzwermden en tussen ons in doken.

En dan is er het andere proces: de verwijdering van het tot traan verwerkte walvisspek; het gestoom en gesis als het in met water gevulde koelvaten wordt gelepeld, het daar weer uit laten lopen via een reeks goten en koelers, om uiteindelijk in de vaten te worden gedaan. Intussen hebben anderen de kop van het dier afgehouwen en dat naar de kust gebracht, waar het op het strand wordt getrokken voor zover dat hen met behulp van het tij lukt, want die kop is zwaar door de baleinen. Ze lopen tussen de kaken door naar binnen om er alle baleinen uit te snijden, die ze dan afschuren en inwrijven met zand. Behalve het vlees dat nog van de walvis gesneden zal worden — en het vlees is lekker, rood en vlezig als de beste biefstuk en helemaal niet als vis of iets anders dat uit zee komt — is de rest van het dier afval. Dat wordt dan zo achtergelaten, om uiteindelijk te zinken of op en neer te dobberen in het water van de baai, dat dicht bij het strand troebel en onbeweeglijk is geworden doordat er zoveel vet in ligt.

Die zomer leken zowel het werk als de dagen eindeloos. We vingen vijftien walvissen, bijna vijftienhonderd okshoofden met olie. Het ene vat na het andere werd weer naar het schip gebracht, om daar te worden geladen. Het was een geweldige opbrengst. Het stormde niet en pas op het eind kwam die beklemmende mist. De ene dag na de andere was het goed weer om te werken, al was het wel fris, met meestal een wolkendek zodat het licht niet te scherp was en we geen schaduwen op de zee wierpen en het goed jagen was. Alles bij elkaar zou je denken dat het een uitzonderlijk en goed seizoen was ondanks de trage start, een gezegend seizoen zelfs, als die dingen aan het einde ervan niet waren gebeurd.

Tot aan die gebeurtenissen kan ik jullie niet veel bijzonders over Cave vertellen. Ik kan alleen de vreemde

beelden beschrijven die ik nog van hem heb in mijn herinnering. Zoals hij als een schaduw tussen ons bewoog, zijn
haar en baard nu geknipt. Zijn vreemdheid viel hier minder op doordat hij een onderdeel vormde van een groep
mannen. Of zoals hij stug doorwerkte aan het kadaver
van een walvis dat aan de achtersteven van het schip
dreef, lopend op die zwarte en glanzende heuvel van vlees.
Zijn magere gestalte met het flensmes in zijn hand had
iets van het silhouet van een eenzame eik dat afstak tegen
een heldere hemel. Ik herinner me dat ik onder hem
langs voer in een sloep toen we de walvis vastbonden en
hij sprak en gebaarde, alleen kon hij mij in dat licht veel
beter zien dan ik hem. Voor mij was er alleen zijn silhouet
dat zich naar me toe boog, waarbij zijn gelaatsuitdrukking
duister voor me was.

Het was een mooie dag, het moet een mooie dag zijn
geweest, want de zon scheen warm op mijn gezicht en ik
werd erdoor verblind toen ik naar hem opkeek.

Ik was niet zeker van de woorden die ik opving. Dit is
vreselijk, leek hij te zeggen, maar ik hoor hem dat nu
zeggen terwijl er twintig jaar tussen zit. Zou het kunnen
dat hij dat zei? Het beeld dat ik nu voor ogen heb is
het volgende: de zee, het schip, het kadaver van de walvis, allemaal scherp door de helderheid van de dag,
waarbij Thomas Cave zijn armen uitstrekt in een onhandige poging om dat hele beeld te omvatten, en dat is
wat hij volgens mij zei.

Een aantal dagen zag ik hem aan het werk, en dan
ineens was hij er een paar dagen niet. Ik hoorde dat er
werd gezegd dat hij geestelijk ziek was, maar anderen zei-

den dat hij niet gek was maar eerder zwaarmoedig, dat hij in een donkere hoek was gaan zitten als een broedende kip. En als hij al het gezelschap van mannen zocht, dan verkoos hij altijd de Basken boven ons. De Basken gedroegen zich nogal hooghartig en zonderden zich als groep af van de rest, en ik heb nooit meegemaakt dat een Engelsman een vriendschapsband met hen wist op te bouwen, zelfs niet met degenen die wat van hun taal hadden opgepikt of een beetje Frans of Spaans spraken, of welke taal ze ook gemeen hadden. Maar Cave mochten ze wel, want soms als het werk af was, zag ik dat hij bij hen zat en met hen at en dronk.

De andere beelden die ik van hem heb zijn van het einde van die zomer, toen het weer al aan het veranderen was, de nacht weer inviel en er een uitkijkpost was vanwege het ijs.

Ik zie nog voor me hoe Cave urenlang aan het einde van de rotsen stond op de noordelijke punt van de baai, de hele zee voor hem gehuld in mist. Hij stond daar waakzaam, luisterend naar geluiden, alsof hij met zijn gehoor kon doordringen in het gebied waar zijn ogen niets konden zien.

Carnocks boot was zoek met zes man erin, onder wie hijzelf. Hij was voor het laatst gezien door de bemanning van een andere walvissloep toen de mist op kwam zetten, en het zicht niet meer dan honderd, honderdvijftig meter werd, zeiden ze. Ze joegen achter een walvis aan. De boten achter hen hadden de schreeuw van de harpoenier gehoord toen hij de walvis had getroffen, de golving en het zoeven van de lijn toen de walvis wegzwom, gevolgd door de boot, hoewel ze niet konden zien in welke richting ze gingen. En dat was het laatste. Geen geluid, geen schreeuw meer, zeiden ze, geen zicht. Ze zagen alleen nog een baan schuimend water waar ze wisten dat de walvis had gevochten.

Ze konden onmogelijk zeggen wat er was gebeurd. Een dergelijke jacht is angstaanjagend in de mist. De walvis zwemt weg en de mannen op de harpoenboot die eraan vastzit, weten niet waar ze heen gaan en hoe ver ze zullen gaan. Ze weten ook niet hoe dicht de andere boten bij hen blijven, en of ze in staat zijn hen te volgen en op te pikken, mocht hun boot omslaan en ze in zee belanden. Ik heb gehoord over boten die zo vele mijlen blind werden meegesleurd en maar nauwelijks de weg terug konden vinden, en over anderen die banger waren en snel de lijn doorsneden die hen aan de walvis bond. Carnock was niet het soort man die dat zou doen, we wisten dat hij zo lang mogelijk zou vasthouden. We hadden geen flauw idee hoe ver de walvis hem en zijn mannen had meegevoerd. Het had uren, dagen kunnen zijn, de fjord uit en naar de oceaan daarachter. Het was ook mogelijk dat het maar een paar minuten had geduurd, en dat ze omlaag waren getrokken in de draaikolk van de duik van de walvis, of simpelweg waren omgeslagen door een klap van zijn staart en dichtbij ons verdronken, zonder dat wij het hadden gezien of gehoord in de geluiddempende verwarring van de mist.

Ik was bij de traankokerij toen ik het nieuws hoorde, in de hitte van de kokende blubber. Er was een boot zoek in de baai. Ik nam die woorden in me op en werkte door omdat ik dat moest, want het vuur moest worden opgestookt. Ik hoorde pas later wie erin zaten, pas nadat ik het vet van me had afgeveegd en naar de waterkant was gelopen.

Niet meer dan een paar man waren nog op het strand. De meesten waren uitgevaren in de boten en we konden hun geroep horen, hoewel we ze niet konden zien.

Het duurde een poos voordat we de namen wisten van degenen die met Carnock waren meegegaan: een Baskische harpoenier wiens broer ook tot de bemanning behoorde, een matroos die Jonas Watson heette en die goed voor me was geweest, twee anderen die ik niet zo goed kende, en Edward Marmaduke. Het was een schok voor me toen ik zijn naam hoorde noemen. Alles was natuurlijk een schok, ook al was het een gebeurtenis die op die zeeën altijd min of meer wordt verwacht, maar toch zijn die dingen altijd erg als ze werkelijkheid worden. Maar dit verlies, dit stille, in mist gehulde verlies, raakte ons nog meer doordat de zoon van de kapitein erbij was. Marmaduke was bij iedereen geliefd en zijn zoon was niet veel ouder dan ik en zo'n levendig, pronkerig haantje.

De boten bleven urenlang weg, veel langer dan een zwemmer het ooit zou kunnen overleven in dat koude en inktzwarte water, zigzaggend over de lege zee, roepend en starend in het niets. Wij op het land liepen langs de oever over de hele lengte van de baai, waarbij we in gelijke mate keken en riepen, en op elke opdoemende rots afstapten om te zien of er misschien een wrakstuk van de boot of een man was aangespoeld.

Ik ging naar Cave op de rotspunt aan de noordelijke uitloper van de baai. Het was een goede plek om te staan, omdat de stroming daar langstrok. Ik ging naast hem staan en hij stak zijn hand naar me op maar wilde niets zeggen, alleen luisteren. Zijn concentratie was zo intens dat ik het kon voelen, en terwijl ik daar zo naast hem stond, dacht ik ook de beweging van de golven beter te horen, evenals een licht, vreemd geluid in de verte dat het geluid van een roeiriem zou kunnen zijn.

Eén keer hoorde ik een schreeuw waarvan ik dacht dat het die van een man was.

'Het is maar een zeehond,' fluisterde hij. 'Luister, het is meer het gehuil van een kind dan van een man.'

Op dat moment vloog er een zwerm meeuwen over ons heen en het geluid ging verloren, maar ik geloofde dat hij gelijk had.

Uiteindelijk gaf zelfs hij zijn wacht op, en hij was degene die naar kapitein Marmaduke ging, die al die tijd opgesloten in zijn hut had zitten wachten, en later kwamen ze met z'n tweeën naar de waterkant en liepen daar in de schemering.

Ik denk dat het voor een volwassen man zoiets moet zijn als je eigen dood om je enige zoon te verliezen; een dubbele dood, want een man wil graag dat zijn zoon hem opvolgt en zijn naam voortzet, om zo te ontkomen aan zijn eigen sterfelijkheid. Het was een verschrikkelijke klap voor kapitein Marmaduke. Hij liep een hele tijd met Cave langs het strand en toen liet hij hen terugroeien naar het schip en ging regelrecht naar zijn hut, waar hij dagenlang niet uit kwam. Het was toen eind augustus. De walvissen waren weer weggetrokken en ook wij begonnen in te pakken op het strand, laadden het scheepsruim en wachtten op het bevel om te gaan zeilen. De mist die de boot had verzwolgen, bleef om ons heen hangen, al werd die soms dunner of maakte plaats voor sneeuwvlokken. Het waren dagen van rouw en van vreselijke spanning. We baden voor de verdronkenen, maar keken intussen naar het water en hoopten denk ik allemaal nog steeds dat er een gestalte zou opdoemen, of dat we het gekraak van een terugkerende boot zouden horen in de mist, maar tegelijkertijd keken we naar het schip waarin de kapitein zich had opgesloten en verlangden ernaar om weg te gaan.

## 19

Velen van ons hadden in die tijd last van slapeloosheid, omdat ons ritme van dag en nacht zo was verstoord. In de tent waarin we samen verbleven was nauwelijks een moment van stilte door al het gedraai en gezucht van wakker liggende mannen. Zelfs degenen die wél sliepen, konden geen rust vinden. We hadden allemaal vreemde en diepe dromen, en vaak mompelden of kreunden mannen in hun slaap, of ze maakten zichzelf en de rest wakker door een schreeuw.

Hierdoor begon er angst in ons te ontstaan.

Als we sliepen, waren er de dromen. Als we wakker waren, was er iets anders, dat ik niet kan benoemen. Ik herinner me hoe ik daar lag en de reusachtigheid van dat gebied in mijn ziel voelde bonzen op de plek waar daarvóór het besef van God was geweest; een enorme bevroren leegte in mij en de angst dat die zich zou uitbreiden en me zou verteren. Ik deelde een kooi met William Sherwyn, een rusteloze knokige man, een en al knie en elleboog. Toen ik mijn ogen opende zag ik dat hij op zijn rug omhoog lag te staren. Hij werd zich bewust van mijn blik en zei nerveus en snel: 'Je weet toch wel wat dit is, hè?

Je weet toch wel wat dit betekent? Het ijs zal niet lang meer op zich laten wachten. De stromingen stuwen het vroeg de fjord in. Dat is ook de reden waarom alleen kapitein Duke een schip tot hier weet te brengen. Dat heb ik gehoord van iemand in Hull, voordat we gingen varen. Je neemt wel risico met Duke, zei hij, hij is natuurlijk een erg goede walvisvaarder en hij kent deze noordelijke zeeën beter dan welke Engelsman ook, maar op een dag zal hij in de val lopen, vast komen te zitten in het ijs, en dat zal het einde zijn. Dat gebeurt met alle grote navigators, zei hij. Het is met Barentsz gebeurd, en het zal ook met hem gebeuren. Ze gaan uiteindelijk allemaal te ver, blijven te lang. Varen te dicht bij het ijs.'

'Het is augustus,' zei ik, 'het is nog maar augustus.'

'Vorig jaar waren we op deze dag al weg.'

'Vorig jaar was het kouder.'

'Het duurt niet lang meer voor het ijs binnenkomt. De wind hoeft maar te veranderen en het is zover.'

'Maar het is niet meer dan een dag zeilen naar de kaap en de open zee.' Ik sloot mijn ogen weer en stelde me de beweging van het schip onder mij voor, het zicht op de meest zuidelijke kaap van deze eilanden die langzaam zou verdwijnen, het open water tot aan de kust van Noorwegen. Ik moet daarna even geslapen hebben. Toen ik weer wakker werd hield Sherwyn me vast.

'Wat is er, jongen? Waarom schreeuw je zo?'

Alleen een flard van mijn droom zat nog in mijn hoofd: het vreselijke gevoel om in een eindeloze ijzige ruimte te vallen.

Als de mist maar was opgetrokken. Als het maar licht

was geweest, zodat we iets hadden kunnen zien; Gods licht, Gods dag. We zouden dan de heldere zee hebben gezien waar de verloren boot was geweest en zeker hebben geweten dat er niemand meer terug zou komen. Kapitein Duke zou dat ook hebben gezien. Hij zou aan dek zijn gekomen en tegen ons hebben geroepen dat we het anker moesten lichten. Maar de mist hield ons daar vast, omdat de omfloerste vormen en geluiden zoveel mogelijkheden van ontkenning boden. Het waren vooral de geluiden; het geblaf van een walrus die een van ons hield voor de schreeuw van een man, de manier waarop het gekrijs van meeuwen plotseling de intense stilte doorbrak, het gekraak van voetstappen in de sneeuw, het geklots van water tegen de rotsen dat op dat moment op het geplons van roeiriemen leek. Soms leek het alsof we wachtten op mensen, soms op geesten. Er werd gemompeld dat dit gebied ons had behekst en ons niet wilde laten gaan.

De Baskische taal heeft iets krachtigs. Ik heb er geen verstand van, ik weet alleen dat die taal anders is dan alle andere talen die ik ooit heb gehoord. De mensen uit die streek vormen een apart ras, hoewel ze geen eigen land hebben. Hun letters z en k klinken hard; felle klanken en een heftig ritme waarbij onze Engelse taal zacht en slaperig is. Uitgeschreeuwd in een afgesloten ruimte werkt het op je zenuwen als geen ander geluid dat ik ooit heb gehoord.

Het was de speksnijder, de kleine man met de O-benen, die de walvis aan stukken sneed. Hij was uit zijn kooi gekomen en stond in het midden van de tent, half gekleed terwijl hij met woeste ogen tegen ons stond te schreeu-wen. Ik dacht dat er iets was gebeurd, dat er een lawine was of dat er een beer voor de deur stond, of dat hij buiten was geweest en had gezien dat het schip zonder ons was vertrokken. Misschien had hij ruzie met een van de ande-re Basken, want die stonden daar of zaten rechtop in hun kooi tegen hem te schreeuwen. Het leek net een tafereel uit een gekkenhuis, dit onbegrijpelijke razen en tieren tussen hen, en de verdwaasde blikken van de rest toen iedereen erdoor werd gewekt.

Ik weet niet wie van jullie ooit een man heeft gezien die gek is geworden. Je wilt niet kijken, maar toch doe je het, en als je dat doet, raak je betrokken bij zijn verschrikking. Allemaal keken we toe hoe Ezkarra, de lange harpoenier die vaak optrad als hun leider, de anderen tot zwijgen bracht en daarna zijn armen stevig om de kleine man sloeg alsof het een kind was. Even was hij stil en sloot hij zijn starende ogen, waardoor ik dacht dat hij gekalmeerd was, maar dat duurde maar kort, als een golfdal, want daarna verscheen er weer schuim op zijn mond. Hij maakte zich los en stompte Ezkarra zo hard in zijn maag dat hij dubbelsloeg. Opnieuw barstte hij los in een grotes-ke stroom van woorden, waarvan ik wist dat die niets anders dan godslasteringen en obsceniteiten konden zijn.

We gingen naar achteren, maakten plaats voor hem terwijl hij naar de deur rende, achteruitdeinzend voor hem in de kleine ruimte alsof hij een besmettelijke ziekte had. Hij is bezeten, zeiden we tegen elkaar, en het was schokkend om te bedenken dat er een duivel in een van ons was gekropen, maar de rest ongemoeid had gelaten.

Ezkarra maande ons toen tot stilte en sprak ons toe in zijn gebrekkige Engels. De man was de broer van de harpoenier van de verdwenen boot, zei hij. Hij had de geest van zijn verdronken broer in zich. Hij sloeg een kruis en zei een paaps gebed. Maar andere bemanningsleden fluisterden meteen dat er een heks onder ons was, of dat hij was bezeten door een demon uit die streek, dat deze man pas de eerste was en dat we straks allemaal gek zouden worden. Zelf had ik hier geen gedachten over, want ik kon alleen toekijken en het volgen. Ik trok mijn buis en laarzen aan en volgde de man naar buiten. Een paar anderen deden hetzelfde. We hielden hem in de gaten terwijl hij zich op de stenen bij het strand wierp, heen en weer rolde en er met zijn hoofd tegenaan sloeg.

Hij verwondde zichzelf tot bloedens toe en toen ging Ezkarra weer naar hem toe om hem te kalmeren, maar hij wilde niet gekalmeerd worden. Deze keer rende hij weg, greep zijn flensmes dat tussen het gereedschap lag en liep terug naar Ezkarra alsof hij hem in tweeën wilde snijden. Ik kan niet zeggen waarom hij dat niet deed, waarom hij alleen dat mes met het lange heft hoog in de lucht hield als een soort gek geworden, halfnaakte Abraham, om het vervolgens weg te gooien zodat het kletterend op de stenen viel. Daarna rende hij blootsvoets weg, het strand op in de richting van de berg.

Een geval van bezetenheid, of waanzin, of hoe je het ook wilt noemen. Zulke dingen gebeuren, onder een bemanning van mannen alleen in het Noorden of op de diepe oceaan, zoals hier ook wel gebeurt in onze Engelse steden en dorpen. Wat ik jullie wil vertellen is dat

Thomas Cave degene was die hem terughaalde. Cave liet hem niet alleen verder gaan, maar volgde hem in een rustig tempo. Er was die dag net voldoende zicht om de twee mannen te kunnen onderscheiden op de berghelling, niet meer dan dat, geen bijzonderheden, alleen twee bewegende gestalten tegen de grijze stilte van de rots. Ze klommen, zigzagden, veranderden van richting, de Bask met een vreemd paniekerige haast die we zelfs op die afstand konden zien, Cave langzaam en behoedzaam achter hem aan. Cave raakte hem niet één keer kwijt, hoewel hij soms een totaal ander pad volgde door bij een te steile helling schuin omhoog te gaan, terwijl de waanzinnige er recht tegenop klauterde, of zo wild over onveilige schalie klom dat het de mannen die beneden stonden toe te kijken af en toe een wonder leek, of een symptoom van de demonische aard van zijn bezetenheid, dat hij niet viel.

Cave haalde hem uiteindelijk in bij een richel die uitkeek over zee. We konden niet zien wat er zich daar tussen hen afspeelde, alleen dat ze daar lange tijd bewegingloos stonden en zich uiteindelijk omdraaiden om achter elkaar aan langzaam af te dalen. Toen de Bask weer bij ons was teruggekeerd, leek hij te zijn vergeten wat er allemaal was gebeurd en liep hij mak als een lammetje achter Cave aan.

'Wat heb je gedaan?' vroegen we aan Cave.

'Ik heb hem voorgelezen.'

Hij haalde zijn bijbel tevoorschijn die hij in zijn buis had meegenomen.

'Dat is jouw bijbel, niet die van hem. Hij is rooms.'

'Dat zou geen verschil mogen maken.'

'Welke tekst heb je hem voorgelezen?'

'Een willekeurige bladzijde die ik opensloeg.' Hij haalde zijn schouders op. 'Een geslachtslijst. Het had geen betekenis voor hem, want hij verstaat geen Engels. Het had geen verschil gemaakt of het nu een bijbel of een getijdenboek was geweest.'

Mannen spraken fluisterend, uit angst dat het geluid te ver zou dragen in de heldere lucht.

'Bij God, hoe is dit mogelijk?'

'Hoe kan het dat hij zoiets heeft gedaan, deze man die we allemaal kennen als een gewoon mens, niet anders dan wij? Hoe kan het dat alleen hij deze duivel kon uitdrijven?'

'Hij kwam zo kalm en rustig omlaag van de berg, alsof hij de indruk wilde wekken dat er niets was gebeurd.'

'Hij heeft bepaalde krachten. Die houdt hij voor ons verborgen.'

'Heb je gehoord wat hij zei? Hij zei dat het geen verschil zou hebben gemaakt als hij uit een getijdenboek had voorgelezen. Zou hij dit hebben gedurfd zonder de hulp van God?'

'Nee,' zei ik, 'dat is het niet. Het komt gewoon doordat de man geen Engels verstaat, zodat het niet uitmaakt welke woorden het werkelijk waren, maar de woorden die hij dacht dat het waren.'

Ik vond het niet terecht dat ze zo spraken, dat er een dergelijke achterdocht ontstond over een daad van goedheid die we zelf hadden aanschouwd. Het beviel me niet welke kant de gesprekken op gingen. Vragen gingen van man tot man en strekten zich uit als slierten van de dunner wordende mist.

'Hij weet iets over dit gebied wat wij niet weten, iets waardoor hij het hier heeft overleefd.'

'Geen gewoon mens had deze winter kunnen overleven. Hebben we dat niet allemaal vanaf het begin gezegd?'

'Maar hoe dan?'

'Er is hier sprake van bovennatuurlijke krachten.'

'En wat denk je van de ongewone stilte van de lucht van de afgelopen dagen? Is dat soms natuurlijk?'

'Dit noodzaakt een mens om te bidden.'

Ik hoorde zeggen dat Cave degene was die ons daar vasthield terwijl we allang hadden moeten vertrekken, dat hij het in zijn macht had om de winden op te roepen die ons weg moesten voeren. Er werd zelfs gefluisterd, licht als damp en ik kon niet zeggen van wie het kwam, dat de verloren boot door hem was behekst.

Zelfs toen we de zeilen gingen hijsen, verdwenen die gedachten niet, maar omgaven ze Cave, waardoor iedereen afstand van hem nam.

Engeland

## 20

Een trage zee, een groenige kleur, een grijze riviermond die we opvoeren toen het vloed was. Het was vele jaren geleden dat Cave in zijn geboorteland was geweest, maar hij zei niet hoeveel jaar.

Ik zou hebben gedacht dat Engeland hem blij zou maken. Toch zag ik daar geen teken van, ik zag geen andere uitdrukking op zijn gezicht dan een soort lichte verbazing. Ik zag hem op de loopplank, hij was zo lang en mager dat hij een aparte figuur was te midden van die anderen, en hij stond daar even te aarzelen, alsof hij moed moest vatten voor wat er zou volgen. Maar toen haalde hij zijn schouders op, strekte dat lange lijf van hem dat zoveel dagen op het schip te weinig ruimte had gehad, en stapte de kade vol mensen op. Een tijdlang stak zijn hoofd uit boven de menigte, waar hij zich met vastberaden stappen een weg doorheen baande, zodat de wereld leek terug te deinzen zonder hem aan te raken.

Zo ging het overal waar hij in de maanden daarna kwam. Hij hield zich afzijdig van mensen en niemand kwam bij hem in de buurt. Ik weet dat omdat ik veel tijd met hem heb doorgebracht. Een aantal maanden reisde en leefde ik met hem, maar toch kan zelfs ik niet naar waarheid zeggen dat ik hem kende, dat ik wist wat er in hem omging, hoewel ik hem goed observeerde, met die scherpe maar oppervlakkige aandacht die een jongen soms besteedt aan een man die zijn voorbeeld of zijn held zou kunnen zijn. Al kan ik hierdoor wel veel van de kleine intimiteiten van zijn leven opsommen, zoals wat zijn eigenaardigheden waren, de manier waarop hij op zijn vlees kauwde, of wanneer hij zijn darmen leegde, hoe zijn vingers trilden als ze zich uitstrekten naar zijn viool of zich om de smalle kop van zijn pijp bogen, hoe hij sliep met een licht gesnurk en gemompel dat soms zo samenhangend leek dat ik er een betekenis achter zocht, alleen was het in een taal die ik nog nooit had gehoord, ook later niet.

Het kwam door de kapitein dat ik met hem meeging. Als kapitein Marmaduke er niet was geweest, zou Cave op dat moment waarschijnlijk uit mijn leven zijn verdwenen. Hij zou eruit weg zijn gelopen met zijn scheepskist, zijn viool, het geld van de weddenschap en zijn vat vol hakken om te verkopen. Zijn verhaal zou niet meer dan een bijzondere herinnering zijn geworden die uiteindelijk zou veranderen in iets uit een ver verleden wat maar half wordt geloofd, zoiets als een mythe. Ik zou me twintig jaar later zeker niet het hoofd zijn gaan breken over hem, en evenmin de aandrang hebben gevoeld zoals afgelopen zomer om huis en haard een tijdlang te verlaten om hem te zoeken.

Toen de lading van boord was, kwam ieder bemanningslid naar de Heartsease — wat een slechte naam was 'gemoedsrust' nu — om het aandeel te komen halen dat hem toekwam en om afscheid te nemen van de kapitein, die sinds onze aankomst bijna de hele tijd overmand door verdriet in zijn hut was gebleven en nauwelijks voet aan wal had gezet. Voor Thomas Cave was er nog het geld van de weddenschap, waarvoor we allemaal een lang jaar geleden hadden getekend, naast zijn gage voor deze reis en het geld dat ik voor hem had bewaard van het jaar daarvoor; alles bij elkaar een aanzienlijke som, hoewel je dat niet zou hebben gedacht als je naar hem keek. De kapitein vroeg hem bij het afscheid wat hij ermee ging doen en Cave antwoordde alleen dat hij ermee thuis zou kunnen komen, al sprak hij het woord 'thuis' uit alsof het een vreemde en verrassende bestemming was.

'In 's hemelsnaam, man, je kunt er toch veel meer mee doen dan dat!' riep de kapitein uit, even ontwakend uit zijn verdoofde toestand, en Cave zei alleen ja, dat hij dat ook wel aannam.

Er viel toen even een stilte tussen hen, waarin ze allebei opgingen in hun eigen droefgeestige gedachten, maar toen maakte de kapitein zich ervan los, stak zijn hand uit naar Cave en zei dat hij een moedig man was en wenste hem het beste.

Toen viel zijn blik op mij en het leek alsof hij in een impuls sprak: 'Neem de jongen mee, Thomas, want hij moet dezelfde kant op.' Ik denk dat hij het zei uit een soort bezorgdheid om mij, omdat ik hem aan Edward deed denken. Hij wees een schip aan dat zich klaarmaakte om naar Yarmouth te vertrekken en zei dat haar kapitein een vriend van hem was, en nog diezelfde dag waren we vertrokken.

We gingen van Yarmouth naar hier, naar Swole, en al die tijd waren er anderen om ons heen, zeelieden en een paar anderen die net als wij voor de passage hadden betaald, maar Cave zei niet veel. Op een keer hoorde hij dat ik weer het verhaal van de weddenschap begon te vertellen, een beetje te hard denk ik. Ik ging helemaal op in het avontuur, hoewel ik er zelf maar een piepkleine rol in speelde. Cave onderbrak me ineens en riep me bij zich. En dat was de enige keer dat ik me kan herinneren dat hij een actieve rol speelde in onze omgang. Ik dacht dat hij me wilde berispen omdat ik aan vreemden ging vertellen over het geld dat hij bij zich droeg, wat weer doorverteld zou kunnen worden en dieven op zijn pad zou kunnen brengen zodra we aan land gingen. Maar dat was het niet. Nee, hij zei me alleen onomwonden dat hij niet wilde dat ik nog één woord zou zeggen over wat hij had gedaan, weddenschap of niet, en dat ik tegenover niemand te berde mocht brengen dat je een dergelijke winter kon overleven.

'Geen woord meer, mijn jongen, beloof me dat. Laat niemand het mogelijk achten, laat niemand me daarin volgen.'

'Waarom niet? Was het dan zo verschrikkelijk?'

'Je begrijpt me niet,' zei hij, en er lag een bittere klank in zijn stem. 'Ik zeg dit niet voor de mannen, maar voor de rest. Laat de mannen maar op zichzelf passen.'

Ik moet bekennen dat ik eerst een beetje bang voor hem was, voor wat hij was of wat hij wist. Een klein beetje bijgelovig was ik toch wel. Vanaf Swole gingen we twee dagen te voet, alleen wij tweeën, om het moeras heen en toen over het open heideveld verder landinwaarts. In die dagen spraken we niet veel, en evenmin zei hij iets wat me gerust had kunnen stellen. We liepen alleen maar, en ik leerde dat er geen betere kameraadschap is dan met een man lopen, stap voor stap. In de stilte van het lopen sloeg ik hem gade, en met het verstrijken van de uren en mijlen werd mijn behoedzaamheid minder, en ik begon hem te vertrouwen, al was het maar door de constantheid van zijn tempo, dat de hele dag door gelijk bleef, en de winterse helderheid van zijn ogen.

Toen we bij mijn huis aankwamen, verwelkomde mijn familie ons met vreugde en tranen. Mijn kleine zusje bleek bijna een vrouw te zijn geworden en mijn moeder moest huilen toen ze zag dat alweer een van haar kinderen zo volwassen en bereisd was geworden. Ze namen Cave in huis als mijn vriend en hij bleef bij ons tot eerste kerstdag, maar zodra die voorbij was, kwam hij tot een soort onuitgesproken beslissing, pakte zijn weinige bezittingen bijeen en zei dat hij wegging.

Mijn moeder, een warmhartige vrouw, nam me apart.

'Wat voor groot verdriet heeft jouw vriend dat hij niemand anders heeft bij wie hij hoort, dat hij zo zit te piekeren, in zijn eentje?'

Ik vond dit een goede reden om mijn belofte te verbreken, voor deze ene keer, alleen tegenover mijn moeder, en vertelde haar het buitengewone verhaal van zijn kluizenaarschap.

'Er is nog iets anders, achter dit alles zit nog iets,' ging ze door, maar ik zei gewichtig dat dit nu eenmaal het leven op zee was, dat een avonturier zoals Cave meer van deze wereld had gezien dan een vrouw zich maar zou kunnen voorstellen, en ze lachte en zei dat ik een echte man was geworden, hoewel ze daarbij naar me keek alsof ik nog een kind was.

Later kwam ze weer naar me toe met wat proviand die ze had ingepakt, wat kaas en spek, en zei tegen me dat ze wel kon merken wat ik wilde, dat dat geen kwaad kon en dat het inderdaad goed zou zijn om hem nog een poosje gezelschap te houden voordat ik terugging naar zee.

'Je hoeft niet mee te gaan.' Cave aarzelde toen we wegliepen, keek naar mij en weer naar mijn familie die stond te zwaaien. 'Waarom blijf je niet gewoon bij hen?'

'Ik kan hier geen werk vinden.'

'Er is nog ander werk behalve de zee.'

'Dat is wat ik wil.'

'Wat wil je echt?'

'Reizen, de wereld zien. U weet wat ik bedoel.'

'O ja?'

'Natuurlijk, mijnheer. Denk eens aan alle plaatsen waar u en de anderen me over hebben verteld, de onvoorstelbaarheid daarvan. De Azoren en de eilanden van West-Indië, de wouden van Virginia en de beschilderde mensen daar, de rivier zo groot als een zee waar Raleigh op voer, op zoek naar Eldorado. De dieren en kleurige vogels, de naakte vrouwen met een huid zo zwart als kool die ze als slavinnen verkopen. Ik zou niets weten van die dingen als jullie me dat niet hadden verteld.'

'Maar dat zijn alleen maar verhalen,' zei hij. 'Die kun je ook thuis bij de haard horen.'

Ik vond dat een vreemde opmerking voor een man die daar zelf was geweest en zoveel had gezien.

Cave bepaalde onze weg, hoewel ik niet kon zeggen of de weg die hij koos wel verstandig was. In de winter zag zoveel van het land er hetzelfde uit, de kale velden, de glasachtige rivier die buiten zijn oevers was getreden, de gebogen zwarte armen van de bomen, de gaten en voren in de weg onder onze voeten waar we goed op moesten letten.

'Waar gaan we heen?' vroeg ik.

Hij keek naar de horizon. Dat is wat Cave meestal deed; hij keek naar de horizon of hij keek naar de grond voor hem. Zijn ogen bleven zelden rusten op de hoogte waar hij in de ogen van anderen zou kunnen kijken.

'Gaan we nu naar het dorp waar u vandaan komt?'

Er was een gehucht waar we doorheen liepen, vroeg, zo vroeg dat de dag nog maar net was begonnen. De nevel van de ochtend steeg op uit de varkensstallen op de erven naast de weg waar we liepen, rees omhoog in de koude lucht van de ruggen van dieren die naar buiten kwamen om te eten, en uit de schuren erachter klonk het geloei van koeien en het geschuifel van het melken.

Cave stond midden op de weg en bekeek het allemaal, stond zo stil dat de kippen tevoorschijn kwamen en in de modder pikten waar hij met zijn stok in had gewoeld.

'Is dit het? Zijn we er?'

Hij keek van het ene huis naar het andere, naar deuren, ramen, strodaken en schoorstenen, keek naar de mensen die langsliepen alsof ze van hout, leem en stro waren gemaakt. Er viel inmiddels een koude motregen die maakte dat ze met gebogen hoofden liepen, waardoor ze ons niet leken te zien. Ze waren trouwens toch suf en zagen op tegen het werk van die dag.

'Zullen we stoppen?'

'Nee,' zei Cave, 'het is te vroeg om te stoppen. We kunnen nog een heel stuk afleggen vandaag.' Hij droeg geen hoed en zijn haren en baard waren donker door de regen en plakten tegen zijn gezicht.

Toen ik aarzelde zei hij opnieuw: 'Laten we verder gaan. Ik heb hier niets te zoeken.'

Het ging harder regenen terwijl hij sprak en het gehucht leek voor onze ogen dicht te trekken. Ik was er zeker van dat het hier was, dat hij hier gewoond moest hebben, en ik voelde een vreselijke teleurstelling voor hem. Het was er zo troosteloos en grauw, zeker die morgen, vol gebogen mensen die niets zagen. Ik voelde me jong als een kind en wist niet wat ik moest zeggen, hoewel mijn hele wezen ernaar verlangde hem op te beuren.

We waren al een eind het dorp uit toen we werden ingehaald door een boerenkar, die ons meenam vanwege de regen. We gingen achterin zitten met een zak over onze hoofden en zolang de regen viel, sprak de voerman nauwelijks tegen ons en zeiden wij ook niks tegen hem. Toen de regen ophield stopte hij om het paard te laten grazen, en ik herinner me dat ik overwoog om de anderen te vermaken met buitelingen op het gras. Ik vond dat leuk in die tijd. Ik was tamelijk goed in radslagen, had wel op een jaarmarkt kunnen werken, zeiden de mensen weleens. Dus warmde ik me op om daarna mijn repertoire van kunsten te vertonen, maar omdat de grond nat was gleed ik soms uit en viel af en toe, totdat ze begonnen te lachen.

Toen de kar verder reed, raakten we aan de praat. 'Waar zijn jullie geweest?' vroeg de voerman, en ik dacht dat dit mijn kans was om hem te imponeren met verhalen over een bevroren zee en bergen van ijs, over grote witte beren en vissen zo groot als huizen.

Maar de man was nooit verder geweest dan Stowmarket en had nog nooit de zee gezien. 'Er bestaan inderdaad wel grote vissen. Ze zeggen dat er hier in de rivier een snoek leeft die zo lang is als een paard. Een groot oud beest met tanden als een zaag. Hij kan een eend in zijn geheel verzwelgen, die onder water trekken en zo verslinden.'

Toen ging het weer regenen en trokken we opnieuw een zak over ons hoofd.

'Het spijt me, jongen, ik kon vanmorgen gewoon niet blijven,' zei Cave na een hele tijd. 'Er is te veel tijd verstreken. Ik zag er alleen maar vreemden. Het had geen zin om daar te blijven.'

Ik was jong in die tijd, en beslist vrijpostig. 'Maar dat weet u helemaal niet. U bent er maar heel kort geweest. En de mensen die we zagen, dat zijn misschien wel dezelfde mensen van vroeger, alleen zijn ze ouder geworden. Of het zijn de kinderen van de mensen die u toen kende. Als u had gezegd wie u was, dan was er vast wel iemand geweest die u nog van vroeger kende.'

Cave keek de weg af. Zijn gezicht vertoonde een waas van vochtigheid door de regen.

Was het waar, de reden die hij gaf? Ik heb daar nog vaak aan gedacht in de jaren daarna, wat het precies was dat Thomas Cave had weggejaagd, of het was zoals hij zei, de vreemdheid van dat dorp, of dat het juist de bekendheid ervan was, die hem op de een of andere manier benauwde.

Ik nam kort daarna afscheid van hem, om terug te keren naar Swole. We waren aangekomen bij een plaats waar de invloed van het getij al merkbaar werd in de rivier en we konden de zee al ruiken.

'Gaat u niet nog een stukje mee?' vroeg ik, maar Cave zei dat hij nu ver genoeg was, en hij keek naar zijn voeten in het groene gras. Hij zou voortaan op het vasteland blijven. De zee behoorde tot het verleden. Er was een kerk in dat dorp met een dak als van een schuur en hij legde zijn spullen neer, spreidde zijn grote mantel uit als een deken en zei dat hij in het portaal zou slapen.

Op het laatste moment, in een totaal onverwacht gebaar, spreidde hij zijn armen en omhelsde me, en door die aanraking wist ik plotseling hoe groot mijn genegenheid voor deze man was geworden. Toen moest ik me omdraaien en liet hem daar alleen in het portaal achter, en liep weg met de meeuwen en de brede hemel boven mijn hoofd.

'Jongen,' riep hij me na toen ik bij het hek was gekomen. 'Dit is voor jou. Ik heb zoveel geld niet nodig.' Hij haalde zijn beurs uit zijn buis en gaf me er wat munten uit, drukte die in mijn uitgestoken rode hand met zijn eigen koude tastende hand. 'Ik sta erop.' Opnieuw omhelsden we elkaar bevend, en ik liep nog eens drie kilometer voordat de zon achter me onderging.

Daarna hoorde ik meer dan twintig jaar niets meer van hem.

## 21

Het was op een zomeravond zoals deze dat ik voor het eerst weer iets over Cave hoorde. Ik woonde al een paar jaar hier in Swole. Ik moet ongeveer zo oud zijn geweest als hij toen in die lange winter. Het is een leeftijd waarop een man — tenminste, een man zoals ikzelf, want ik kan niet voor hem spreken — de drang begint te voelen om een vaste woonplaats te hebben, bij zijn gezin te zijn en vaste grond onder zijn voeten te hebben.

Ik had een vrouw gevonden en was in zaken gegaan, samen met mijn neef die in Aldborrow woonde. We handelden langs de kust. Hoewel het hard werken was — de zaken gingen moeizaam deze afgelopen jaren, doordat het slecht ging in het land — was het toch tamelijk goed gegaan. De zomer was mooi, de avonden lang en rustig, en ik was die gaan doorbrengen zoals deze avond, hier op het strand. Ik kan me geen mooier moment van de dag voorstellen, als de lucht rustig en warm is, het lang licht blijft, de vissers hun netten uitspreiden en repareren, en de zon ondergaat achter je rug, terwijl de zee voor je traag kabbelt. Ik zat ongeveer zoals nu, met mijn rug tegen een granieten muur, met een half oor te luisteren en naar de zee voor me te kijken, naar de schepen te turen. Vreemd hoe je af en toe in de verte kijkt naar de langsvarende schepen en het zo stil is op het strand dat je denkt dat die daar vast moeten liggen. Maar als je dan je pijp vult en opnieuw kijkt, zie je dat hun positie toch is veranderd, hoewel het lijkt alsof ze niet bewegen.

Het gesprek ging over een man die het Noorden kende.

'Hebt u hem soms gekend, mijnheer Goodlard? Hij moet net als u walvisvaarder zijn geweest.'

Ik denk dat het even duurde voordat de vraag van de vrouw tot me was doorgedrongen. Ik keek toe hoe de kinderen renden en speelden aan de vloedlijn. Mijn eigen twee kinderen waren daarbij. Ze renden allemaal de golven in en het kon ze niet schelen dat ze nat werden, omdat het water en de lucht warm waren.

'Zou het kunnen dat u deze man hebt gekend?'

'Over wie hebt u het?'

'De vissers hebben verderop aan de kust een man ontmoet van wie ze zeiden dat hij ooit walvisvaarder is geweest.'

'Hoe heette hij?' vroeg ik, en ze zei dat ze zijn naam niet wist.

Ik vertelde haar dat de noordelijke zeeën enorm waren en dat daar alleen al vanuit Engeland zo'n honderd walvisschepen op voeren. Je kon toch moeilijk verwachten dat ik iedere man of iedere bemanning kende.

De vrouw praatte verder.

Deze man had ijs in zich, zei ze, een lange, magere, gebogen man met de koude zee in zijn ogen. Hij kwam in zijn eentje naar hun dorpen, onverwacht als een late nachtvorst in de lente, en bracht een kille aanraking met zich mee die krankzinnigen kalmeerde, vrouwen in barensnood rustig maakte en pijn verdreef bij stervenden. Er werd gezegd dat hij de gave had om duivels uit te drijven.

Eerst stond ik er niet zo bij stil. Er deden zoveel verhalen de ronde. Er waren zoveel mannen die door het land zwierven, en in deze oostelijke graafschappen leken dat er nog meer te zijn dan elders; niet alleen koopmannen, marskramers en zwervers, maar ook mannen met ideeën in hun hoofd, allerlei soorten predikers en genezers en profeten, en allemaal hadden ze wel het een of andere verhaal te vertellen over het vreemde, het magische en het onverklaarbare. Ik was lang uit Engeland weg geweest. Het is moeilijk uit te leggen hoe ik na mijn terugkeer uit mijn doen was. Ik was eenzaam en voelde me een vreemde toen ik na jaren op zee weer in mijn eigen land woonde en door een drukke straat liep, of hier op het strand zat voor de boten en al dat verwarrende gemompel van stemmen hoorde. Maar ik leerde om het los te laten, om rustig te roken en te kijken, te knikken en te doen alsof ik luisterde, zonder aanstoot te geven. Er waren zoveel praters, met zoveel bijzondere verhalen. Hoe zou ik uit al die kletspraat dat ene verhaal kunnen onderscheiden over een eenzame man?

Mijn dochtertje viel op het strand, maar kwam lachend weer overeind en rende naar mij toe om het zand van haar af te slaan. Wat een flinke, stevige meid was het toch.

'Ik heb een kerel gezien die het zou kunnen zijn,' zei

een visser. 'In Blythburgh was dat geloof ik, niet ver van hier. Oud, hij was zo oud als Mozes, met een stok en hij had volgens mij wel wat te vertellen.'

Mijn vrouw had een oom die in een dorp dicht bij het moeras woonde. Hij kwam langs en bleef een nacht bij ons slapen, en sprak over een duiveluitdrijving die het jaar daarvoor had plaatsgevonden in dat dorp. Een vreemde die ineens was opgedoken, had een kind gered en de duivel uitgedreven bij een man die was bezeten, en hij had dat gedaan met speciale magie en zonder gebruikmaking van de naam van God.

'Hoe zag hij eruit, die man?'

'Oud. Een lange man, grijs en stug als een verweerde eik. Ik werd alleen al bij de aanblik van hem bang.'

'Hebt u zijn naam gehoord?'

'Als iemand al wist hoe hij heette, dan heeft die persoon dat niet gezegd. Het schijnt dat hij zonder namen en woorden rondwaart. Ik heb hem niets horen zeggen.'

'En waar woont hij?'

Het scheen dat de man net zo mysterieus en plotseling was verdwenen als hij was gekomen, en daardoor waren de mensen bang en zeiden, als ze lichten zagen, dat hij daar nog steeds was bij de geesten in het moeras. Onze bezoeker hechtte niet veel geloof aan hun gepraat. Er waren mensen die zeiden dat de man zichzelf had veranderd in een wolk en was teruggeblazen naar het noorden waar hij vandaan kwam. 'Ik denk niet dat er bij hem sprake was van magie. Er zijn er veel zoals hij, die de gave lijken te hebben om in een geest te veranderen. Ongetwijfeld oefent hij ook een vak uit en is hij gewoon verder getrokken, maar omdat het mistte, heeft niemand gezien waar hij heen ging.'

'Inderdaad,' zei ik, maar terwijl hij sprak kwam de herinnering bij me terug van Cave, en de aanval van waanzin van de Bask.

Voor het eerst vroeg ik me af of het mogelijk was dat Cave nog leefde. Het zou kunnen, dacht ik. Een man die zijn uithoudingsvermogen tot het uiterste had beproefd, zou weleens lang kunnen leven.

Nog een paar dagen nadat de oom was vertrokken dacht ik hierover na, en het moet zichtbaar zijn geweest dat het mij volledig in beslag nam.

'Wat zit je dwars?' vroeg mijn vrouw.

'Het klinkt alsof hij een goed mens was, die man die jij hebt gekend,' zei ze, toen ik haar alles had verteld. 'Wat zijn de mensen toch dwaas om bang te zijn voor iemand zoals hij, alleen omdat hij doet wat zij niet kunnen of wat ze niet kunnen verklaren. Er is zoveel wat we moeten aanvaarden en niet verklaard kan worden, maar dan hoeven we nog niet meteen klaar te staan met verdenkingen of een oordeel. Natuurlijk moet je gaan, als je ooit op hem gesteld bent geweest. Zoek de man over wie mijn oom het had en ga na of het dezelfde was. Ik zie dat je geen rust zult hebben totdat je daarachter bent gekomen.'

Er zijn niet veel vrouwen die zo begripvol zouden zijn.

De kinderen klampten zich aan me vast toen ik afscheid nam. Mijn dochter huilde dat ze niet wilde dat haar vader weer naar zee ging. 'Ik ga helemaal niet naar zee, liefje,' zei ik. 'Deze keer gaat mijn reis alleen over land, en ik ben terug voordat je het weet.'

Het dorp was klein, aan de rand van de brede riviermond waar het moeras overgaat in landbouwgrond. Vanaf de grote kerk kun je aan de ene kant bewerkte velden zien, en aan de andere kant een zilte wildernis. Ik ging erheen en informeerde naar het verhaal dat hij ons had verteld.

Er was een oude man die een bank voor zijn huis had staan waar hij de hele dag op zat. Zijn ogen begonnen troebel te worden, maar hij kon toch nog redelijk goed zien.

Het betrof een zeeman, zei deze man, die was teruggekomen uit verre streken. Hij wist niet waarvandaan, alleen dat hij betrokken was geweest bij piraterij of een veldslag en daarbij vreselijk verminkt was geraakt. Een arm was afgehouwen bij de elleboog en hij had een litteken van een zwaardhouw over zijn gezicht, zodat de aanblik van hem angst teweegbracht bij zijn kinderen, die hem nauwelijks kenden en voor hem wegrenden. Zijn vrouw herkende hem ondanks zijn vreselijke verwondingen, haalde hem in huis en riep de kinderen terug. Ze kookte voor hem en zorgde dat hij zich weer thuis voelde. Maar de zeeman kon geen rust vinden en de gruwelen die hij had meegemaakt kwamen weer bij hem boven en hij zag alles weer voor zich. Op een dag kreeg hij koorts en begon zo heftig te tieren en te razen dat zijn vrouw bang werd en wegrende om hulp te halen. Bijna het hele dorp kwam aangelopen, degenen die echt wilden helpen en degenen die alleen nieuwsgierig waren, en toen hij voor zijn deur de toegestroomde menigte zag die naar hem kwam kijken alsof hij niet iemand uit het dorp was maar een exotisch vreemd wezen, werd de zeeman pas echt gek. Er was een baby in huis, het jongste kind dat was geboren toen hij nog op zee zat, en op het moment dat hij zijn deur opende, waar de menigte dorpelingen zich voor had verzameld, begon de baby te huilen. Een heftig gekrijs was het, dat pijn deed aan je oren en in het hele dorp te horen was, alsof de baby al het gevaar van dat moment begreep. De zeeman raakte helemaal door het dolle en greep het kind.

De oude man vertelde dit, en nog meer, maar ik kreeg later betere bijzonderheden van de vrouw zelf, nadat ik haar had gevonden. De zeeman leek een stille, norse kerel die zich er niets van kon herinneren, maar de vrouw kon het navertellen alsof het op dat moment opnieuw gebeurde voor haar ogen: de wilde blik van haar man, de stompzinnigheid van de dorpelingen als een kudde starende, snuivende vaarzen, het plotselinge doordringende geluid van het babygehuil.

'O, mijnheer, je zou dat geschreeuw nooit meer vergeten als je dat had gehoord. Zelfs als je een kilometer verderop was geweest.'

Ze stond toen bij de deur, plotseling geschrokken door de aandacht die ze op het huis had gevestigd, maar ze kon al die mensen nu niet ineens gaan wegjagen, omdat ze ze immers zelf daarheen had gehaald. Ze zag een blik van woede op het gezicht van haar man verschijnen, en moest machteloos toezien hoe hij met zijn ene hand de krijsende baby oppakte, en zich een weg door de passieve menigte baande, die hij als een stormram wegduwde. Hij rende de dorpsstraat uit, in de richting van de kerk aan de rand van het moeras.

Even later zagen ze hem boven op de toren staan. De baby krijste nog steeds en het geluid kwam vanaf de hoogte in hun richting en verspreidde zich als het geluid van kerkklokken. Het was een stevige hoge toren met een balustrade als een kasteelmuur. Hij stond er dichtbij en schreeuwde omlaag naar de menigte, waarbij hij de spartelende baby onder zijn arm hield en zo ver voorover leunde dat ze vreesden dat het kind zich zou losmaken uit zijn greep en naar beneden zou vallen op het kerkhof eronder. Toen zwaaide hij een been over de stenen balustrade aan de kant van het moeras, en in dat vreselijke moment dacht iedereen dat hij zou gaan springen.

'Het was de duivel in hem,' zei de vrouw.

Ze keek omhoog naar waar haar baby huilde, omhoog naar de toren met de hemel helder en wit erboven.

'Dat was niet mijn man daarboven, ik zweer het, maar de zwarte gestalte van Beëlzebub. Mager, afschuwelijk, vreemd gebogen, een zwarte vorm die pijn deed aan je ogen. Het was de duivel en niet de gestalte van een man.' De arme vrouw stopte even en omklemde zichzelf, en keek ter geruststelling naar mij voordat ze verder kon gaan. 'En dat wezen zwaaide dus zijn been over de balustrade en ging er schrijlings op zitten, zoals een man doet op een paard, en begon heen en weer te schommelen alsof het paard aan het galopperen was, de duivel die weggalopeerde met mijn baby onder zijn arm. De Heer is mijn getuige, zo zag ik het. Vraag maar aan anderen hier of ze niet hetzelfde zagen.'

Ik vroeg het later inderdaad aan anderen, en alle mensen die ik ontmoette in het dorp bevestigden dat het er zo had uitgezien.

Die hele dag en de daaropvolgende nacht reed de gek op de balustrade. De sterren kwamen tevoorschijn, en een maan die net voldoende vol was om de vorm te kunnen onderscheiden, als een uitwas op de toren. De baby was lange tijd stil en begon toen te kermen, lange trage golven van gekerm die zich verplaatsten als windstoten door het riet. De vrouw stond beneden, samen met wat anderen, maar alleen degenen die oprecht met haar te doen hadden, want de overige toeschouwers hadden er genoeg van gekregen en waren naar huis gegaan, nadat ze hadden gevraagd om hen te waarschuwen als er iets veranderde. Wat voor verandering had er nog kunnen zijn, vroeg ze, behalve de uiteindelijke val, waarvan het beeld telkens opnieuw voor haar ogen verscheen, zo snel dat het leek alsof er niets te zien zou zijn, geen beweging, geen gebeurtenis, maar alleen het gevolg: een flikkering voor je ogen en dan op de grond een misvormd bloederig bundeltje. Dat kon elk moment gebeuren, zodat ze het geen seconde kon verdragen om een andere kant op te kijken. De hele nacht waakte ze, en de dominee en de anderen bleven bij haar, terwijl ze baden. Ze stond zo lang omhoog te kijken dat ze stekende pijn kreeg in haar nek, rug en kuiten.

’s Morgens kwam de zon op boven de zilveren riviermond zonder dat de man zich had bewogen. Er was geen gekerm, geen wind, geen geruststellend geluid dat het kind nog leefde. Die hele dag bleef hij daar zitten, evenals de volgende nacht.

Toen de tweede dag aanbrak, kwam er een lange man het dorp in. Strepen roze lucht achter hem, een zachte dreiging van regen. De man liep met een stok omdat hij licht kreupel was. Hij liep in de richting van het kerkhof en verkondigde tegen degenen die daar stonden te wachten dat hem was gevraagd om te komen. Zijn bleke ogen keken omhoog naar de balustrade waar de zeeman nog steeds zat met in zijn ene hand het bundeltje dat hij tegen zijn borst had gedrukt. Zijn lichaam zwaaide nu licht heen en weer, alsof er een windje stond, en zijn gezicht had hij geheven naar de motregen die was gaan vallen.

'Hoe lang zit hij daar al?'

'Twee nachten,' zei de vrouw. Ze sprak moeizaam doordat ze zo lang had gezwegen.

'Mag ik proberen of ik kan helpen?'

'Als u met duivels overweg kunt. Het is de duivel in hem, dat weet ik zeker. De man die hij is, zou nooit zoiets kunnen doen.'

De blik van de vreemde was rustig en zonder angst. 'Vrouw, u zou verbaasd zijn wat een eenvoudig mens kan doen.'

En de dominee hield de zware houten deur van de kerk open, maar geen van de anderen wilde met hem meegaan.

Ze gingen toen wat naar achteren, naar het hek van het kerkhof met de weg en het dorp als een soort bescherming in hun ruggen. Ze zagen het hoofd van de vreemdeling opduiken aan de andere kant van de toren, en daar bleef het lange tijd zonder te bewegen. Het ging harder regenen en het tafereel op de toren werd niet meer dan een waas, de man op de balustrade een vage vorm in de nevel. De regen viel in hun omhoog gerichte ogen. 'Mijn baby,' riep de vrouw plotseling, een doordringende schreeuw die schril moet zijn opgestegen naar de toren. 'Red mijn baby!' en ze wierp zich wanhopig op de modderige grond. Net op dat moment zagen degenen die nog steeds omhoog keken een wolk rook als van een explosie en een vreemde zwarte vogel, groot en traag als een reiger aan het begin van zijn vlucht, die in een regenwolk wegvloog van de toren. Althans, dat zeiden ze later. Ze zeiden dat het de duivel was.

En de vreemdeling kwam omlaag uit de toren, samen met de zeeman die over zijn hele lichaam trilde, met een gezicht zo wit als reuzel. De vrouw griste de baby uit zijn armen, en zijn wangetjes waren koud in de regen, maar het kind stak zijn zwakke handjes naar haar uit en ze gaf hem haar borst om te drinken, die overstroomde van melk. De vreemdeling stond terzijde en niemand ging naar hem toe. De mensen waren banger voor hem dan voor de andere man, die nu bleek, gebroken en machteloos leek.

'Wat kan ik u geven?' vroeg de vrouw, maar haar ogen waren uitsluitend op het kind gericht, het mondje stevig op haar borst, de gretige ogen en uitgestrekte handjes terwijl het weer tot leven kwam.

'Niets,' zei hij. 'U hoeft me niets te geven.'

Toen hij naar het hek van het kerkhof liep, week de menigte uiteen om hem door te laten, en de dorpelingen die uit hun huizen waren gekomen, deinsden achteruit toen hij weghinkte en uit het zicht verdween.

## 22

Ik vertelde het aan mijn vrouw.

'Ik weet zeker dat hij het was.'

Mijn dochtertje zat ongedurig op mijn knie. Ze kon niet stilzitten, trok aan mijn baard, draaide rond tot haar dikke bos haar voor mijn ogen zat. Haar moeder zat er ernstig bij, wachtend op wat ik te zeggen had, maar mijn verhaal was te verward.

'Het zou al te toevallig zijn als er nog iemand zoals hij zou zijn. Nee, ik geloof echt dat hij het is, en dat hij nog leeft.'

'Heeft niemand je een aanwijzing kunnen geven waar je hem zou kunnen vinden?'

'Niemand leek het te weten. In het dorp van je oom zeiden ze alleen dat hij naar het moeras was gegaan. In andere plaatsen waar ik dacht dat hij geweest kon zijn, zeiden de mensen dat hij het binnenland in was getrokken, of naar de kust, dat hij uit Bury was gekomen of dat hij in Lowestoft was geweest, dat hij naar Norfolk was gegaan of naar het zuiden, naar Ipswich of naar andere rustige streken. Toen vertelde een man over een gebeurtenis die ergens had plaatsgevonden, waar Cave bij betrokken had

kunnen zijn, ergens dicht in de buurt. Ik volgde die aanwijzing, maar ook dat leverde niets op en ik kreeg daarvoor in de plaats alleen een nieuw verhaal. Het werd hope-
loos. Dagen achtereen hoorde ik alleen kletsverhalen. Elk
feit dat daarin had kunnen zitten, leek opgesmukt; er was
weinig dat leek te kloppen.'

'Arme Tom, dus je bent helemaal voor niets wegge-
gaan? Maar het was wel belangrijk voor je.'

'Soms zou ik willen dat ik er nooit aan begonnen was.
Jij weet het niet omdat je hier met ons gezin woont in
deze plaats waar je thuishoort, maar je weet niet hoe het
ergens anders is. Er is in de wereld zoveel onredelijkheid,
kwaadheid en waanzin die ik niet begrijp.'

Toen we alleen waren nadat de kinderen in bed lagen,
vertelde ik haar hoe ik op de terugweg was gestopt bij een
vervallen dorpsherberg, waar ik mensen aantrof die
koortsachtig spraken over hekserij die daar was beoefend
en een vrouw en een man die de volgende dag aan een
proef zouden worden onderworpen: ze werden in de vijver voor de dorpsweide gegooid.

'Het was het soort verhaal, Mary, dat je maar al te vaak
hoort: een vrouw die alleen woonde en losbandig zou zijn,
en ruzie kreeg met haar buurman. Ze had een man in huis
genomen en er werd gezegd dat die twee samen de buurman hadden geteisterd door een kwajongen te sturen die
zijn vee op de vlucht had gejaagd. Ze hadden ook zijn kar
behekst zodat die nog door geen vier paarden vooruit
getrokken kon worden, en ze hadden er zelfs voor ge-
zorgd dat een van de paarden zijn zwangere vrouw in haar
buik had geschopt – allemaal van die onzin waar je met je

gezonde verstand zo doorheen kijkt. Toch was ik geïnteresseerd, omdat de man die bij haar was, degene die ze minstens voor de helft van die onzin de schuld gaven, werd beschreven als een rondtrekkende schoenmaker, een beetje angstaanjagende man die oud genoeg was om haar vader te kunnen zijn. Dus ik bleef die nacht in het dorp, alleen omdat ik dacht dat die man Cave zou kunnen zijn, want de plaats zelf was troosteloos, zelfs in de zomer. Eenzaam en onbeschut, met nergens een fatsoenlijke plek om te slapen, behalve die door vlooien geteisterde herberg.'

'En was hij het?'

Opwinding in haar vraag, maar toch duurde het even voordat ik mezelf ertoe kon brengen om het hele verhaal te vertellen. Zo zacht was het allemaal, zoals we daar in huis zaten met het licht dat buiten aan het vervagen was, Mary's gezicht half beschaduwd aan de andere kant van de tafel en de kinderen rustig slapend in hun bedden in de kamer ernaast. Het was allemaal zo vredig en onschuldig, dat ik er tegenop zag om over dat verfoeilijke tafereel te vertellen.

Een van de kinderen werd wakker en een deken viel op de grond. Mary ging erheen, legde de deken weer goed en bleef er een paar minuten zitten, terwijl ik opstond en door de kamer ging ijsberen, om uiteindelijk weer te gaan zitten, zoals ik al de hele avond had gedaan. Ik sprak pas toen ze weer bij me zat. Ik wist dat haar ogen op mij gericht waren, hoewel het al donker was geworden.

'Ik zal je vertellen waar ik getuige van was, zoals ik het zag. Ik kan niet zeggen hoe het bij me zou zijn overgekomen als ik zomaar aan was komen lopen en het toen had gezien. Als ik er toevallig getuige van zou zijn geweest, had ik het misschien, net als al die anderen, beschouwd als een afleiding en een spektakel. Maar je weet wat er in mijn hoofd omging, en daardoor leek alles wat ik zag alleen maar wreed en duivels.

Het was een mooie dag, zelfs in die mistroostige plaats, en het hele dorp was komen kijken, en misschien ook nog wel mensen uit de omliggende dorpen, want ik kan me niet voorstellen dat er in die paar krotten zo veel mensen konden wonen: mannen, vrouwen, kinderen, allemaal op de brink alsof er een jaarmarkt was. Ze zaten er op het gras en plukten madeliefjes. En toen kwam die kar eraan en ze stonden allemaal te juichen. Omdat ik achteraan stond, kon ik het niet zo goed zien, maar er was een lange man in het zwart die een predikant of rechter leek, en twee slonzige figuren die van de kar werden getrokken; een mollige vrouw en een magere, witharige man, ongewoon lang, hoewel hij krom was van ouderdom. Maar op die afstand, Mary, en met zoveel mensen tussen ons in, kon ik niet zeggen of die man nu Cave was of niet.

Ik baande me een weg door de menigte heen naar de rand van de vijver, maar tegen die tijd hadden ze al de bovenkleding van het stel uitgetrokken en hun duimen en tenen samengebonden en werden ze in het water gegooid. Het leken niet meer dan bundels, maar de vrouw schreeuwde hard, en de menigte achter mij joelde. Angstaanjagend, dat was het. Hoer van de duivel, riepen ze, en meer van dat soort dingen. Kijk, riepen ze uit, dat is het bewijs. Ze drijft als een plank. Ik zou niet hebben kunnen zeggen of ze nu dreef of niet, want ze was dik en het water was ondiep, en toen ze haar eruit trokken was ze zo modderig dat je zou denken dat haar achterste op de bodem had gelegen. En de man had er niet eens lang genoeg in gelegen om ook maar te kunnen zinken, maar toch werd hij er al uitgetrokken.

Ik zag toen pas zijn gezicht, en het was niet mijn Thomas Cave. Gewoon een meelijwekkende oude man, doornat, starend en rillend als een gevangen haas. Ik vertrok daarop en ging rechtstreeks naar huis. Ik kon het niet over mijn hart verkrijgen om nog meer te aanschouwen.'

Die nacht had ik een angstige droom.

Ik droomde dat ik terug was in het Noorden. Het was laat in het seizoen. Ik wist dat omdat het ijs de baai al begon af te sluiten. Ik wist dat ik vastzat, een gevangene voor de winter, hoewel er geen muren of tralies in mijn gevangenis waren, maar alleen een eindeloze ruimte waar de wind doorheen gierde. Ik stond met mijn rug naar de bergen, met een zee van ijs voor me, en de wind kwam omlaag tussen de pieken door en zwiepte harde sneeuwkorrels in golven over de grond en langs mijn voeten. In de verte leek deze voortgejaagde sneeuw een kniehoge vloed die boven het oppervlak van het strand en de bevroren zee kolkte.

Toen zag ik mannen in mijn richting komen alsof ze zweefden, hoewel ik begreep dat ze liepen, waarbij hun laarzen niet te zien waren in de sneeuw. Drie mannen met hoge zwarte hoeden, die vanuit de verte gestalte begonnen te krijgen, vreemd lang door hun hoeden en omdat hun voeten de grond niet leken te raken. Ze liepen zo dicht langs me heen dat ik de knokkels van hun handen en de lijnen op hun gezichten zag, maar mij leken ze niet te zien. Ze gingen regelrecht naar de hut waarin Thomas Cave woonde, die dichtbij was, hoewel ik die op dat moment pas zag.

Toen ze weer naar buiten kwamen, sleepten twee van de mannen Cave tussen hen in. Ze hadden zijn polsen en enkels vastgebonden met touw, zodat hij niet kon lopen, alleen wat strompelen. Ze namen hem mee naar een plek waar hun leider een gat in het ijs maakte met de staf die hij in zijn hand had. Hij draaide ermee rond als een grondboor, totdat het gat groot genoeg was voor een man. Ze gooiden Cave erin met zijn hoofd naar beneden, draaiden zich toen om en liepen weg.

Tegen de tijd dat ik bij hem was, was het water alweer bevroren als glas, en het was zo doorzichtig dat ik hem in het helderblauwe water eronder kon zien. Hij hield zijn handen langs zijn lichaam en zwom met zijn hele lijf als een zeehond, waarbij zijn ongeknipte haren uitwaaierden en zijn baard zich in slierten scheidde onder zijn kin. Doordat zijn benen samengebonden waren, leken zijn voeten op de staart van een zeehond. Hij dook diep omlaag, en van beneden kwam zeehonden naar boven om met hem te spelen. Ik riep, maar hij kon me onder water niet horen, en ik stampte met mijn laars op het ijs om het kapot te maken, maar het werd alleen maar dikker en ondoorzichtiger.

Toen ik wakker werd, rilde ik. Mijn vrouw sloeg de

dekens om ons heen en hield me stevig vast om me warmte te geven. Ze zei dat ze nog nooit iemand had gevoeld die zo koud was.

Ze legde haar hand warm op mijn lippen en dempte mijn schreeuw. 'Sst,' zei ze. 'Maak de kinderen niet wakker. Haal rustig adem en laat de warmte door je heen trekken, en vertel me dan wat je hebt gedroomd.'

Het leek een hele tijd te duren voordat ik woorden kon vinden. Ik hoorde het geritsel van beddengoed zwaar alsof het zeildoek was, hoorde de ademhaling van de kinderen luid en constant in hun slaap, hoorde het geblaf van een hond buiten, dat door andere honden werd overgenomen door de stad heen, elk gevoel versterkt en maar langzaam verminderend tot normaal.

Uiteindelijk vertelde ik haar over de ontzetting in mijn droom dat ik niet door het ijs kon breken om hem te redden.

Opnieuw legde ze een vinger op mijn bange lippen.

'Dat je bij ons teruggekomen bent, betekent nog niet dat je je zoektocht hebt opgegeven, alleen dat je even niet weet waar je verder nog moet zoeken. Ga daarom niet verder. Zet je zoektocht vanuit hier voort, als je dat wilt. Kijk wie er langskomen en praat met hen, en als je ergens heen reist, praat dan ook met mensen. Begin erover en vertel het verhaal van zijn winter in het Noorden. Zeg dat hij hier is teruggekomen en kijk wat anderen te vertellen hebben. Als hij nog leeft en in dit gebied is, dan zul je hem vroeg of laat vinden.'

## 23

Het duurde een vol jaar. Maar uiteindelijk, toen ik deze zomer lager aan de kust was, ontmoette ik een rietsnijder die nieuws had dat ik geloofde. Hij zei dat hij de man kende over wie ik sprak, en had gezien waar hij woonde, aan de rand van het moeras waar ooit een dorp was geweest dat verzwolgen was door de zee. Er waren alleen nog een paar hutten over van dat dorp en deze oude man was de enige bewoner. Hij woonde in zijn eentje, met het moeras achter hem en de zee vóór hem, met in de wijde omtrek geen andere huizen.

Ik vroeg waar en hoe ver het was, en hij gaf me goede aanwijzingen. Ik heb nog nooit zo'n normale, nuchtere man gezien als deze rietsnijder, met zijn blauwe ogen en blozende gezicht, dat nog roder werd omdat het die dag warm was en hij ervan moest zweten. Hij stond stevig op zijn boot, die zo zwaar beladen was met riet dat het wel een eiland leek. Ik maakte het touw los waarmee hij lag aangemeerd en hielp hem met afduwen.

'Ga je erheen om hem te bezoeken?'

'Waarom niet, ' zei ik. 'Ja, dat ga ik doen.'

'Weet je, ze zeggen allerlei dingen over hem. Je moet er

niet al te veel waarde aan hechten, de wereld is vol zenuw-
achtige, kletsende mensen die van alles zeggen, vaak allerlei onzin, maar zeker weten doe je het nooit. Een man die
kan doen wat hij doet, zijn genezingen en zo, je weet maar
nooit waar dat eindigt, nietwaar?'

Hij zei nog iets dat me deed huiveren.

Hij zei dat er werd beweerd dat de oude man twee dieren had, dat sommige mensen zeiden dat het zijn huisdie-
ren waren. Een ervan was een vos met een vacht zo wit als
sneeuw en de andere een spierwitte vogel die een roep had
als een boze schreeuw – en die waren bij hem gezien in de
winter en toen de zeemist zich landinwaarts verspreidde.

'Hoe is dat mogelijk?' vroeg ik. 'Ik ken de dieren die je
beschrijft, maar die horen hier helemaal niet thuis.'

Hij zei dat hij alleen kon herhalen wat hij had gehoord,
en ik verbaasde me erover. Want ik had de indruk dat dit
dieren waren van de walvisstations: het mooie maar
schorre alpensneeuwhoen, en de noordelijke vos, met een
vacht die wit wordt om niet op te vallen in de sneeuw. Was
het mogelijk dat een andere walvisvaarder langs was gekomen en met hem had gesproken, en dat die ideeën op de
een of andere manier in de hoofden van de mensen waren
blijven hangen? Zo niet, dan kon ik niet bedenken door
wat voor toeval of aanwijzing deze dorpelingen uit
Suffolk dergelijke dieren hadden kunnen verzinnen.

Ik ging die laatste week van juli naar hem op zoek. Het
was de warmste week van het hele jaar. Een hoogzomer-
dag, waarop de modder van het getij glinsterde in de zon
en er gefladder van vogels in het riet en langs de kreken te

horen was. Ik liep landinwaarts, waar de rietsnijder had gezegd dat er een pad liep. Hij zei dat als ik met een bootje zou gaan, de oude man me zeker zou zien naderen en nog voordat ik aan land was, zou hij al zijn verdwenen.

Een onbewolkte hemel, weids als boven zee. Het moeras was eveneens weids, en vlak. Ik dacht dat het land waar ik doorheen was gelopen vlak was, maar toen ik omkeek vanaf de rand van het moeras zag ik hoe het achter me oprees, hoe de horizon zich verhief en de zachtheid van bomen vertoonde in alle richtingen, behalve die van de zee. Het was een gebied waarin een man gemakkelijk kon verdwijnen, zijn sporen licht als die van een dier dat zich langs de rand van het riet beweegt. Overal om me heen het beklemmende geritsel van riet, het gefluit en gepiep van verborgen vogels. Het pad was niet duidelijk omdat het zo zelden werd gebruikt, hoewel ik af en toe een paar zwart geworden planken zag die over de modder waren neergelegd. Op die planken maakten mijn voetstappen een geruststellend bonzend geluid. Twee keer liep ik fout en stond ik ineens voor water waar ik niet overheen kon; het pad verdwenen, een kreek voor me, koperkleurig water en glanzende modder. Ik moest op mijn schreden terugkeren en de weg weer zien te vinden, en hopen dat ik hierna de goede kant op zou gaan.

Eindelijk zag ik de hut, op een iets hoger gelegen stuk land dat net zichtbaar was boven het riet. Een lage lemen hut met een nieuw rieten dak dat glinsterde in het zonlicht.

En daar zat hij, op een kruk met zijn rug naar de muur en zijn ogen gesloten voor de zon. Hij was het. Ik herkende hem meteen. Het was alsof hij alleen grijs en verdord was geworden in al die jaren waarin we elkaar niet hadden gezien; zijn haar en baard dunne grijze slierten, de huid van zijn gezicht en handen als perkament, met diepe lijnen erin geëtst. Toen hij zijn ogen opende, waren die nog steeds opvallend licht en helder, maar zo doorzichtig en zonder herkenning dat ik me even afvroeg of hij me wel zag.

'Thomas Cave.'

Zijn lange vingers kromden zich alsof hij een gedachte wilde pakken, en zijn voorhoofd trok geconcentreerd samen.

'Ik ben het, Thomas Goodlard. Ken je me niet meer? Ik begrijp dat ik erg veranderd ben. Ik geloof dat ik nog niet eens een baard had toen je me voor het laatst zag.'

De hut leek niet meer dan een tijdelijke schuilplaats, het nieuwe rieten dak en de stukken nieuw leem primitieve pogingen om te voorkomen dat zijn huis net zo'n ruïne zou worden als de hutten ernaast, bouwvallen met muren als een gebroken scheepsromp met kapotte spanten eroverheen. Uit niets bleek dat het zijn vaste verblijfplaats was, alsof er niet meer dan een harde wind of onweersbui voor nodig was om het met de grond gelijk te maken. Of een flinke golf die het zanderige klif vlak voor zijn hut kon aantasten, waardoor zijn woning aan de zee zou worden prijsgegeven, net als de rest van het dorp dat hier ooit had gestaan; alsof de hut zou kunnen verdwijnen met de eerste herfststorm, of anders na een winter. En toch had de rietsnijder gezegd dat Cave hier al jaren woonde. Ik zag dat hij hout had gehakt, dat hij netjes had opgestapeld. Er stonden ook kreeftenfuiken naast de deur, en in een kuil zag ik een berg weggegooide krabbenschalen en kokkelschelpen.

Binnen was alleen één donkere ruimte: een tafel met twee boeken erop waarvan de bladen loszaten, een bed waar boven het hoofdeinde een geborduurde doek was uitgespreid die ooit kleurig moest zijn geweest, en nu door de jaren tamelijk goor en flets was geworden. Er hing een lucht van een oude man en van vis.

Ik zag dat zijn viool in een hoek stond en was daar blij om.

'Weet je dat je hut daar nog steeds staat?'

'O ja?' Caves woorden klonken vlak en traag, en ik kon er geen gedachten in ontdekken.

'Nou ja, in ieder geval zes of zeven jaar geleden nog, toen ik daar voor het laatst was, en ik kan me niet voorstellen dat er daar sindsdien iets is veranderd.'

'Zit je nog steeds in de walvisvaart?'

'Niet meer, sinds drie jaar niet meer. Ik heb het uiteindelijk helemaal niet slecht gedaan, heb geld gespaard, ben hier teruggekomen en woon nu in Swole.'

'Niet zo ver hiervandaan.'

'Nee, niet zo ver.'

Cave wees op de kruk voor de tafel en haalde voor zichzelf de enige andere kruk van buiten, zodat we allebei konden zitten. Hij zei niets, maar legde zijn knoestige handen tussen zijn knieën en keek voor zich uit alsof hij nog steeds een oude man alleen was.

'Er zijn er niet meer zoveel die nog naar Duke's Cove

gaan, tenminste niet dat ik weet. Niet meer naar het eiland, dat ze nu Edge Island noemen, of naar een van die andere oostelijke eilanden en inhammen. Ze zeggen dat het te gevaarlijk is, dat het risico te groot is dat je in het ijs vast komt te zitten als het seizoen laat is begonnen en de wind draait; ze zeggen dat er genoeg walvissen zijn en het veiliger jagen is langs de inhammen van de westelijke kust, waar ze nu grote traankokerijen hebben gebouwd. Het is er nu anders, heb ik de indruk, en het is ook een ander soort mannen.' Ik bleef maar praten en zag dat hij naar mijn lippen keek alsof hij die las, en nog steeds zei hij niets. Ik dacht dat hij alles wat ik zei wel in zich opnam, maar ik kon niet zeggen of het hem nu interesseerde of niet. 'Het is anders geworden sinds die eerste tijd van de Heartsease. Je zou verbaasd zijn als je het nu zou zien. Het gebied is natuurlijk niet veranderd, dat krijgen mensen niet voor elkaar, maar de walvisjacht wel. Het is tegenwoordig allemaal erg georganiseerd, grote vloten van de grote compagnies, belangrijke handel.'

Het raam in de andere muur bood uitzicht op het strand, waar vloed bijna hetzelfde was als eb; dunne golven die zich terugtrokken van de stenen op het natte zand. Ik zag tussen die stenen herkenbare delen van huizen liggen: lateibalken, haarden, brokken vuursteen en dunne rode bakstenen; de restanten van het dorp dat verloren was gegaan. Ik voelde nog steeds de drang om te praten, bleef doorratelen om zijn stilte te vullen. 'De Hollanders,' zei ik, 'hebben een stad gebouwd op de kust van het grootste eiland, voor de breedste baai ervan, een stad die in het seizoen een bevolking heeft van vele duizenden, een tijdelijke rokende fabrieksstad die ze de naam Smeerenburg hebben gegeven. Het is nu zo'n grote stad geworden dat het zijn eigen begraafplaats heeft, zoals elke stad hoort te hebben, een eiland dat ze Dodemanseiland noemen, waar lichamen per boot naartoe worden gebracht, en omdat de grond te hard bevroren is om een graf te kunnen graven, worden de doodskisten daar achtergelaten, bedekt met bergen stenen, of ze worden tussen de rotsen in gezet, maar zelfs dan weten de beren er nog bij te komen. De lichamen op dat eiland vergaan niet van het ene seizoen op het andere, maar worden droog en dun en verbleken als schelpen op het strand.'

'We hadden daar nooit heen moeten gaan.'

'Wat?' De onderbreking kwam zacht als een ademhaling. Ik kon er nauwelijks zeker van zijn dat die voor mij bedoeld was.

'Wij mensen. Welke mensen ook. We hadden daar nooit heen mogen gaan. We hadden het ongemoeid moeten laten.'

De woorden kwamen eruit in kleine stoten, vreemd en hees, maar langzaam gingen ze krachtiger klinken, alsof hij de gewoonte om te praten was verleerd en die nu weer hervonden had. Nu hij weer kon praten, herinnerde hij zich ook de gewoonte van gastvrijheid en pakte een kan van de grond, die hij samen met twee kommen op tafel zette.

'Het was niet goed. Dat weet ik nu zeker. We gingen naar een plaats waarvan God niet wilde dat wij erheen zouden gaan. We negeerden Hem.'

'Maar we zullen daar niet voor altijd blijven. Ze zeggen

dat die zeeën zullen worden leeggevist, binnenkort, over tien of vijftig jaar. Je kunt dat nu al merken, want met elk jaar dat verstrijkt zijn er minder walvissen, niet langer die grote rijzende en dalende kudden die de baaien vulden. Er zijn er nog wel wat, maar veel minder daar in de baai, en we moesten er steeds verder voor varen, achter ze aan jagen op open zee. Vroeg of laat houdt het op en zullen we daar niet meer jagen, en zal het gebied weer net zo eenzaam zijn als het ooit was.'

'Maar niet meer hetzelfde.'

'Wat bedoel je?'

'Het zal veranderd zijn, denk je niet? Alleen doordat wij er waren. Nooit meer hetzelfde.'

Cave zette zijn mok met een klap op tafel, zodat het bier eruit spatte en zijn handen nat werden.

'Het was vrij van ons, vroeger. Nu, door ons, zijn er daar dingen gezien en gehoord die nooit hadden mogen gebeuren.'

Hierna gingen we naar buiten. Het was te ongemakkelijk, zoals ik daar stijf aan die tafel zat, met zijn vreemde, hese gepraat dat in de kamer echode. Hij kwam langzaam overeind, ontvouwde zich alsof hij breekbaar was, en pakte zijn stok. Hij leidde me naar een plek waar hij een ladder had gebouwd tegen het onbestendige zand van het klif, waar we omlaag gingen en het strand op liepen. De zon was warm, en de golven kalm terwijl ze zich terugtrokken. Thomas Cave tilde zijn hoofd op en zuchtte. Ik gaf hem mijn arm, want ik kon zien dat de stok hem weinig steun bood in het zand. Zijn aanraking was droog en behoedzaam als die van een mot. Even later begon hij weer te praten, en deze keer klonk zijn stem heel anders, dun maar helder en vloeiend.

Hij ging me zijn verhaal vertellen, niet over die winter op het eiland, want dat zal hij denk ik wel nooit vertellen, maar over de tijd sinds zijn terugkeer.

'Weet je nog waar je me achterliet, in dat rivierdal in de lente? Ik keek je na terwijl je wegliep, sloeg je een hele tijd gade, want ik kwam in de verleiding om je te volgen. Het leek een hele tijd te duren voordat de zon die avond onderging, en er kwam geen sterveling langs nadat je me had verlaten. Ik sliep in het portaal van de kerk en zag en sprak niemand. De volgende ochtend vroeg vertrok ik om weer landinwaarts te trekken, in de tegenovergestelde richting waarin jij was gegaan. Een stralende morgen was het en ik had de zon in de rug. Zoveel ochtenden bracht ik in de jaren die volgden op die manier door; ik ging op weg met de zon laag aan een kleurige hemel, het dorp uit dat nog aan het ontwaken was. Ik zag de bedrijvigheid van de vroege morgen, terwijl de dieren naar buiten werden gedreven, de karren begonnen te rijden en mensen op weg gingen naar de velden. Ik stopte in een dorp, een stad, bij een logement, en installeerde me met het gereedschap dat ik bij me had. Ik werkte een poosje, want er was altijd werk voor mij. Ik moest op zoek naar leer om schoenen te maken. De mensen leerden me kennen en ik hen, maar zodra het te vertrouwd werd, voelde ik dat ik weer verder moest. Misschien was ik al te veel jaren van huis geweest. Of misschien...'

Hij stopte even. Zijn mond was droog. Hij drukte zijn

lippen op elkaar en slikte, sloot zijn ogen voor het heldere middaglicht.

'Of misschien kwam het doordat ik dat hele jaar ervoor had stilgezeten, die winter die ik had doorgebracht alsof ik in een gevangenis zat.' Toen hij zijn ogen weer opende, leken die op de een of andere manier blind, de pupillen verkleind tot punten en de kleur eruit weggetrokken. 'Wat de oorzaak ook was, het feit lag er: ik merkte dat ik me nergens kon vestigen op het land, dat ik altijd rusteloos was. Als ik ergens te lang bleef, voelde ik me belemmerd als een schip dat door een windstilte wordt overvallen. De plaats ging me benauwen, mijn gedachten raakten gekooid in mijn hoofd en dreven me uiteindelijk weer voort. Ik ben in Halesworth, Bury en Cambridge geweest, zwierf lange tijd door de wildernis van de moeraslanden en heb de grote kathedralen van Ely, Lincoln en Norwich gezien. Ik moet alle steden van oostelijk Engeland hebben gezien, behalve de havens. Ik ging niet naar de havens. Jarenlang ging ik zelfs niet naar zee. Vele jaren is dat zo gegaan, zo lang dat ik op een gegeven moment tot de ontdekking kwam dat ik een cirkel had gemaakt en weer terug was in plaatsen waar ik al eerder was geweest. Mensen herkenden me ook en vroegen me opnieuw om schoenen voor hen te maken of reparaties te verrichten, of hen ergens anders mee te helpen. Ik kende wat geneeswijzen, zie je, en had ook nieuwe dingen geleerd van anderen die ik onderweg had ontmoet. Ik had kruiden die ik verzamelde terwijl ik rondtrok en ik wist hoe ik die moest gebruiken. Na verloop van tijd werd mijn reputatie als genezer zo groot dat de mensen me voor allerlei kwalen lieten halen. Af en toe gingen ze zelfs ver van huis om mij te zoeken. Net zoals jij hebt gedaan.'

Hij haalde zijn hand van mijn arm en keek me toen recht aan. 'Waarom? Wat wil je van me?'

'Ik wil niets van je, Thomas. Het enige wat ik wilde was je weer zien.' Ik was bang dat ik zijn vertrouwen was kwijtgeraakt.

Hij is oud, dacht ik. Deze hitte is vast te veel voor hem, en er is nergens schaduw. Het strand strekte zich eindeloos voor ons uit, strekte zich eindeloos achter ons uit, met dat lage zwakke klif van kiezels en zand, de kiezels en het zand eronder, de witte schuimrand van de golven, de glinsterende zee. Misschien werd het tijd om terug te keren; ik dacht dat hij terug wilde, maar dat was niet zo. Hij legde zijn hand weer op mijn arm en hervatte zijn tempo en zijn verhaal.

'Het zijn verontrustende tijden waarin we nu leven. Ik denk weleens dat we aan het begin van een tumultueuze tijd staan. Heb je gemerkt hoeveel vreemde gebeurtenissen zich voordoen, de stormen die we hebben gehad, de overstromingen, die vreemde hagel en regen, het onweer dat zo ongebruikelijk is midden in de winter, die sneeuw in de lente? En andere dingen behalve het weer: was het niet vorig jaar of het jaar daarvoor, in ieder geval nog niet zo lang geleden, toen het dreunde in de hemel en er een regen van stenen omlaag kwam. Geen hagelstenen maar echte stenen, harde stenen met een kleur als van metaal die niemand ooit eerder had gezien, en toen die ene steen zo groot als een brood en warm bij aanraking, die op de heide bij de stad Woodbridge viel? Zelf kan ik er geen enkele reden voor bedenken, behalve de mogelijkheid van een fysieke verandering aan de hemel, maar er zijn veel mensen die er een andere betekenis aan geven. Ze zien het als voortekenen, straffen van God en waarschuwingen waar ze bang en onrustig van worden.

Ik kan niet zeggen wanneer het precies is begonnen, of hoe, alleen dat de mensen die al eerder naar me toe kwamen, nu ook om andere dingen begonnen te vragen. Ze zagen iets in mij behalve de genezingen die ik had verricht, zagen misschien wat ze wilden zien, wat ik alleen kan verklaren als een weerspiegeling van hun angsten en hun gebrek aan bevattingsvermogen. Ze zeiden dat ik bovennatuurlijke krachten had.' Hij sprak die laatste woorden met een vreemde nadruk uit, zijn ogen groot van onschuld in het oude perkament van zijn gezicht.

'Ik heb geen bovennatuurlijke krachten, Tom Goodlard, geloof me. Ik doe wat ik doe, dat is alles. Ik heb ervaring en ik gebruik wat kruiden die iedere man of vrouw kan vinden die het benul heeft om goed te kijken. Ik spreek tegen mensen en ik doe een beroep op hun gezonde verstand. Dat is alles. De rest is leugens en fantasie. Wat hebben ze je over mij verteld, degenen die je hebben gezegd waar je me kon vinden? Wat zeiden ze tegen je?'

'Dat je in het Noorden bent geweest en dat je hebt rondgereisd. Ik vermoedde dat jij het was aan de hand van de beschrijving. Er zijn niet zoveel walvisvaarders hier in de buurt.'

'En wat nog meer? Wat maakte dat ze tegenover jou over mij spraken?'

'Dat, en ook dat je een man hebt gered, en ik herinnerde me hoe iets dergelijks is gebeurd met een van de mannen van de Heartsease daar op het eiland kort voordat we vertrokken.'

Ik zag meteen dat ik dat niet had moeten zeggen. Wat ik beter had kunnen zeggen, zou ik alleen niet weten. Nu twijfelde hij opnieuw aan mij. Zijn gezicht verstarde, hoewel zijn hand op mijn arm bleef liggen. Ik gaf de woorden de tijd om te verdwijnen. We liepen door totdat we bij een brede kreek kwamen waar we geen andere keus hadden dan om te keren. Voor het eerst konden we de wereld van de mensen aan de andere kant van het moeras zien: de daken van een dorp en een kerktoren in de verte. We liepen de weg terug die we waren gekomen, alleen was de zee nu aan onze linkerzijde en scheen de zon verblindend in onze gezichten.

'Ze zeggen dat ik duivels uitdrijf, nietwaar? En misschien heb jij dat zelf ook gezegd. Nee, ontken het maar niet.'

Het zonlicht was te fel voor hem en hij keek naar de grond terwijl hij liep, naar de kapotte schelpen en alles wat de vloed meevoerde bij zijn voeten. Hij leek zo oud in dat felle licht dat ik me met hem begaan voelde.

'Weet je wat ze nog meer zeggen?' ging hij verder. 'Je moet hebben gehoord wat ze nog meer zeggen. Ze zeggen dat aangezien ik de gave heb om duivels uit te drijven, ik zelf een soort heks moet zijn. Wat zijn er toch een hoop dwazen in deze wereld.'

Een grote vogel cirkelde over zee en over onze hoofden. Sneeuwwitte veren, en een schaduw die over me heen gleed. Maar toen hij zich omkeerde zag ik dat zijn rug grijs was: het was maar een stormmeeuw, waarvan er hier aan deze kust ontelbare moesten zijn.

'Je hebt hier een goede plek gevonden, Thomas Cave. Je zult hier veilig zijn.'

'Veilig? Waarvoor moet ik veilig zijn?'

'Voor duivels. Voor kwaad. Voor de dwazen waar je het over had.'

We namen afscheid onder het klif. Geen witte vogels hier, maar zwaluwen, een hele zwerm, die in en uit de nesten schoten die ze in de pokdalige zijkant hadden gemaakt. Thomas Cave gaf nog een laatste stukje van zichzelf prijs.

'Als er één ding is dat ik in het Noorden heb geleerd, Tom Goodlard, dan is het dit: dat er daar geen duivels zijn. Geen duivels in het ijs of de sneeuw of de rotsen, alleen die in onszelf, die welke we meenemen. Daarom kunnen ze worden verdreven, omdat ze alleen in onze verbeelding bestaan; hoe kan het anders gebeuren? Ze kunnen worden verdreven omdat ze er niet zijn, omdat het niet meer dan woorden, dromen, beelden in de geest zijn.'

Ik denk dat hij dit bedoelde, voor zover ik het kon volgen. Ik ben een simpel mens. Ik weet niets van verbeelding. Ik weet niet meer dan wat ik kan zien en horen, en wat er in de Testamenten staat. Cave sprak over dingen die mijn verstand te boven gaan.

'Stel je die streek voor zoals die was voordat wij daar kwamen, jongen.' Hij noemde me jongen, alsof hij was vergeten dat ik volwassen was geworden, zag me daar even als de jongen die ik toen was. 'Denk eraan zoals het was vóór Barentz, vóór Marmaduke, voordat de mens daar voet aan land had gezet. Alleen dat gebied en de verbazingwekkende overvloed van de natuur daar. Zo koud, zo vijandig kwam het bij ons over, maar in het seizoen was er zoveel leven. De walvissen, de zeehonden, de vogels, zoveel vogels, als deze zwaluwen hier. Op zijn koude manier was het een paradijs. Geen mensen, geen duivels daar en zelfs, nu ik erover nadenk, geen God, in elk geval geen God die wij kennen. Alleen het gebied zelf. Maar toen kwamen wij. Wij kwamen er om te doden, vergezeld van onze angsten, en zagen er duivels. Heb je dat nooit gedacht? Heb je er nooit goed naar gekeken? Nooit een stap achteruit gedaan, toen het zo helder om ons heen was, en zag je het toen niet, de verschrikking ervan, het bloed dat de zee bevlekte, het vet en de rook, de aantasting van de natuur? Heb je daar nooit de aandrang gevoeld om weg te rennen in de witheid, het ijs op, erin te verdwijnen, jezelf schoon te boenen? Nu ik oud ben, heb ik dat gevoel telkens opnieuw. Ik heb het als ik naar de zee kijk. Ik sta hier dan met mijn rug naar de rotsen en de werken van mensen achter me, en ik kijk naar de zee en de golven die aan land rollen, en hoop dat mijn ziel ermee zal samenvloeien en zal worden meegevoerd.'

Wat kon ik daarop zeggen? Zo'n intense klank in zijn stem, terwijl ik zijn bedoeling maar nauwelijks kon vatten.

Ik nam afscheid van hem met gewone en vertrouwde woorden, de enige woorden die ik ter beschikking had, en ging naar huis.

## 24

Ze hebben het nog steeds over hem in de Groenlandse wateren. Over Cave, althans ik denk dat het over Cave en over zijn uithoudingsvermogen gaat. Het is alsof de herinnering aan hem is bevroren, geconserveerd als al het andere, alleen verdund en verfijnd in de loop der tijd, afgesleten door de wind en het ijs, zodat hij steeds minder een echt mens wordt met wie anderen ooit hebben gevaren, en meer een verzinsel.

Soms krijgt hij een andere naam of kennen ze zijn naam niet, of ze maken een Deen of een Hollander van hem, maar zijn eenzame beproeving wordt altijd herinnerd, opgesmukt en opnieuw verteld. Ik heb het verhaal op vele plaatsen gehoord, van mannen van verschillende schepen en verschillende nationaliteiten; dat jaren geleden, in het begin van de walvisvaart, een man in zijn eentje heeft overwinterd op de kust, en de redenen die ze daarvoor gaven, waren verschillend. Sommigen zeiden dat hij handelde vanuit zijn eigen onverklaarbare wil, anderen dat het alleen door het noodlot kwam en dat hij per ongeluk achterbleef, en weer anderen beweerden dat hij een boze geest in zich had en als een Jonas werd achtergelaten door zijn maten, die bang waren voor zijn aanwezigheid op de terugreis. Er worden veel dingen gezegd, waarvan sommige in de buurt van de waarheid komen en sommige er ver naast zitten en lachwekkend zijn. Ik hoorde een verhaal dat toen zijn schip terugkeerde, hij een mooi gedicht van honderd stanza's had geschreven en dat op muziek had gezet. Volgens een ander verhaal had hij daar in de sneeuw met zijn blote handen gevochten met een grote witte beer, en ook al droeg hij de rest van zijn leven de littekens van de klauwen over zijn gezicht, hij had die beer uiteindelijk weten te temmen, zodat die hem als een hond volgde en kwam als zijn naam werd geroepen en hij hem vis en stukjes zeehond voerde.

Er zijn andere mannen geweest die hebben geprobeerd zijn daad te herhalen, geen man alleen voor zover ik weet, maar de bemanning van een walvisschip die per ongeluk, of om de aanspraak van hun compagnie op een gebied te laten gelden, de hele winter tussen het ijs bleven. En hoewel ze daar misschien een of twee keer in zijn geslaagd, is de helft van hen toch omgekomen, en die dode mannen lieten het logboek over hoe ze omkwamen achter naast hun door scheurbuik geteisterde bevroren lichamen. Ik heb zeelieden horen zeggen dat het een verschrikking was om hen daar aan te treffen, om in hun holle starende ogen te kijken.

Ooit, in de begintijd, toen allerlei landen nog met elkaar streden om de walvisgronden en stations, verzamelde de Engels-Russische Handelscompagnie uit Londen een groep veroordeelde misdadigers en bracht hen naar het Noorden, waar hun kwijtschelding van hun straf werd beloofd als ze konden overwinteren en de grond voor het volgende seizoen wisten vast te houden. De mannen werkten de hele zomer naast de gewone zeelieden, en aan het einde van het seizoen, toen het schip klaar was om te vertrekken, kregen ze alle benodigde voorraden en de belofte van een goede beloning daarna, naast hun gratie. Maar toen de laatste sloep van de kant werd geduwd, keken ze om zich heen en voelden de adem bevriezen in hun neusgaten. Ze schreeuwden dat de boot terug moest komen. Ze smeekten de kapitein om hen weer in hun ketenen te slaan en hen mee terug te nemen. Ze wilden niet blijven, omdat ze doodsbang waren. Ze wilden liever het gezelschap van de andere mannen en het vonnis dat hen wachtte, zelfs als dat zou betekenen dat ze zouden worden opgehangen.

Er was daar iets dat ze meer vreesden dan de dood. Wat was het? vraag ik u. Was het het ijs of het onbekende, de pure naamloosheid van die plek? Of was het de eenzaamheid?

Zelfs nu, na al die jaren, kan ik mijn ogen sluiten en in het donker weer het beeld oproepen van Thomas Cave zoals we hem daar achterlieten, toen de Heartsease de wind in de zeilen kreeg en het lege land langzaam uit het zicht verdween, samen met een man die niet langer een man van vlees en bloed leek, maar een simpel figuurtje, niet meer dan een rechte streep, een zich terugtrekkende lijn op de witheid van het strand. Ik zie hem steeds kleiner worden en probeer een sprong te maken over de breder wordende kloof. Hoe was het daar, vraag ik me af, voor hem? Om te zien wat hij zag, om ons te zien gaan. Wat moet het moeilijk zijn geweest om zo ver weg te staan en een zicht te hebben dat zo helder was, en alle anderen te zien verdwijnen.

## DANKBETUIGING

Ik ben vooral veel dank verschuldigd aan twee zeelieden uit het verleden die op het Noorden voeren: de IJslandse zeeman Jon Olafsson, wiens verhaal over zijn leven [uitgegeven door de Hakluyt Society] een onbevestigde anekdote bevat over de weddenschap van een Engelsman, en aan William Scoresby, een walvisvaarder uit Whitby, wiens scherpe observaties zijn opgenomen in zijn *Account of the Arctic Regions*. Er heeft een echte kapitein Thomas Marmaduke uit Hull bestaan die onafhankelijke walvisvaarten maakte naar het nog niet in kaart gebrachte gebied ten oosten van Spitsbergen. Ik heb zijn naam en die van zijn schip de Heartsease geleend, maar al het andere over hem is fictie.

Ik wil graag Broo en Alexandra bedanken omdat ze de uitgave van dit boek tot zo'n genoegen hebben gemaakt. En aan David, voor de harpoen en veel andere dingen.